ediciones**carena**

OCTAVI PIULATS

PARA ENTENDER EL AMOR
PASIONAL ROMÁNTICO

EROS Y THANATOS

Primera edición: junio de 2019

© Octavi Piulats
© Ediciones Carena

Ediciones Carena
c/Alpens, 31-33
08014 Barcelona
T. 934 310 283
www.edicionescarena.com
info@edicionescarena.com

Diseño de la colección:
Sandra Jiménez Castillo
Marina Delgado Torres

Diseño de la cubierta: Sandra Jiménez Castillo
Imagen de cubierta: *La dama de Shalott,* de John William Waterhouse (1888)
Maquetación: Adrián Vico
Coordinación: Jesús Martínez
www.reporterojesus.com

Depósito legal: B 13496-2019
ISBN 978-84-17852-09-2
Impreso en España - Printed in Spain

Deseo dedicar y agradecer este ensayo en especial a mi compañera Carme por todo lo que me ha enseñado sobre el Eros y a otras almas femeninas de mi biografía, como Mónica y Petra. También quiero agradecer las sugerencias y aportaciones de Daniel Turón, Santiago Clusella y José Membrive, así como dedicar el texto a todos aquellos amantes que todavía confían en el amor romántico.

Eros vuela sobre olas y océanos
y cruza las ardientes arenas del desierto,
se desangra en las banderas de las batallas
y asciende hacia el país de la muerte.
El amor desgasta las poderosas montañas
hechiza y construye refulgentes paraísos,
al tiempo que crea de nuevo cielo y tierra
como si fuese una divinidad que existió en el principio.

FRIEDRICH HÖLDERLIN
Canción de amor, 1790

ÍNDICE

PRÓLOGO

Escribir unas pocas páginas para presentar un libro que trata sobre Eros y Thanatos en el amor romántico es como pretender mostrar el Cosmos y el Caos en una gota de agua o como besar el viento para agradecer la existencia. Tal propósito puede estar más allá de los límites de la racionalidad y, a su vez, implica una densidad emocional cercana a la vida contenida en una semilla que anhela germinar; algo que quizá no pueda ser explicado científicamente, pero que no impide que esté latente en nuestro deseo de vivir. Hablar sobre el Amor y la Muerte, es decir, el Tao sin nombrarlo, es intentar comprender la totalidad en el misterio entre lo Uno y lo Múltiple, pensar en la diosa de Parménides que se desvela en el fuego de Heráclito, origen y destino en una sola voz. Dos conceptos antagónicos y complementarios que gozan de autonomía y vínculo, porque parecen opuestos como las caras del dios Jano, pero, en realidad, no son dos, son lo que de una forma sencilla llamamos la vida. Una vida repleta de ímpetu y asombro, bullicio y silencio, con sus contradicciones y paradojas, un devenir gestado entre éxtasis y dolores.

Podría pensarse que la intención de este ensayo al tratar una temática tan esencial para el futuro de la humanidad y que ha sido tan denostada o maquillada en las sociedades mercantilistas, es realmente un desafío a la cultura de la banalidad. El doctor Octavi Piulats se atreve con ese reto y avanza a través de la historia mitológica subido en el carro de la reflexión filosófica y psicológica, protegido con el escudo de la subjetividad y armado con el conocimiento y la experiencia de la sensibilidad romántica, la cual no solo se circunscribe al movimiento cultural del Romanticismo, sino que la podemos encontrar en todas las culturas, cada una con sus matices y poemas. Tal y como lo expresa Rüdiger Safranski: «El Romanticismo es una época. Lo romántico es una actitud del espíritu que no se circunscribe a una época. Ciertamente, halló su perfecta expresión en el periodo del Romanticismo, pero no se limita a él. Lo romántico sigue existiendo hoy en día». Quizá, más que en cualquier otro, sea en el periodo actual, donde el poderío científico y tecnológico, mezclado con una fuerte dosis de enajenación económica, avasalla con sus pretendidas respuestas y explicaciones sobre los misterios que nos modelan como seres humanos, en el que se han desvirtuado y frivolizado los enigmas del Amor y la Muerte.

Este libro es un enfrentamiento a la deriva de superficialidad, comercialización y racionalidad excesiva que arrastra el rumbo de nuestra civilización hacia un mar de insensibilidad emotiva. Es un ensayo que invita a la reflexión, al aprendizaje dialógico, incluso a la controversia, porque la diferencia y la fricción generan el calor y la energía necesarios para sentirse vivos y percibir la diversidad, facilitando comprenderse a uno mismo y a los demás. Las discrepancias con el contenido de este ensayo pueden darse en diferentes disciplinas y dominios, desde la teología hasta la síntesis evolutiva moderna neodarwinista. Pero, si por un lado podemos recordar las palabras de san Agustín de Hipona en *Ama y haz lo que quieras*, por otro, los neodarwinistas, que sintetizan las implicaciones del amor en el concepto de conducta adaptativa en aras de desmitificar el misterio vital, se encuentran en aprietos para explicar la emergencia del altruismo desinteresado y la ética humana como fruto de un desarrollo biológico.

Casi todas las plantas tienen al menos dos cosas en común, a saber: se manifiestan atraídas por la luz y su brote se torna verde al contactar con ella, después evolucionarán de diversas formas y colores, pero su transformación gracias al encuentro con la luz es algo universal e irresistible. ¿Podría alguien imaginarse que la planta ama a la luz que le da calor y le permite existir? La misma luz que le da vida y que, más tarde o más temprano, secará su vitalidad marchitando sus encantos para que abone, con su riqueza acumulada, el nacimiento de nuevos brotes. Todas las culturas ancestrales, en su atenta observación de la naturaleza, percibieron ese paradójico vínculo impregnado por un lado de vitalidad y belleza, y por otro lado, de resignación y sacrificio. Una paradoja que puede relacionarse con las emociones humanas de alegría y tristeza, las cuales se viven con gran intensidad tanto en el amor como en la muerte. La persona que ha logrado forjar un sentido a su vida, que ha conocido la magia y el vértigo de Eros y que ha experimentado plenamente en su interior todas las sensaciones generadoras de júbilo y desazón, puede abrazar con templanza el misterio de Thanatos. Nacer, amar y morir puede ser algo igual de duro y sobrecogedor, igual de emocionante y gratificador. Todo depende del sentido y relato que se genere en nuestro espíritu. Por eso todas las culturas ancestrales generaron mitos para explicarse una existencia y un devenir tan desconcertantes y paradójicos, que se manifiestan en todos los escenarios vitales, pero que cobran relevancia en el amor y en la unión sexual como generadora de vida e iniciadora de la sombra de la muerte. Nacer es empezar a morir. Amar es tomar conciencia de la vida y de la muerte al precipitar el nacimiento de un nuevo ser en la transformación de uno mismo a través de los vínculos o en la generación de una nueva vida. Casi todos los mitos originarios tratan de estas cuestiones, de cómo algo aparentemente contradictorio se transforma en una paradoja, donde su resolución no reside en su explicación lógica, sino en su intensa vivencia con sus regocijos y aflicciones. Una vez nacidos, en cierta manera, estamos sujetos a un margen de libertad, y en ese margen se ubica la posibilidad de amar, lo cual implica una dinámica que quizá sea el antídoto más potente contra la perplejidad de la muerte, porque las personas amantes, amorosas y amadas pueden sentir, asimismo, la maravilla, el éxtasis y la desesperación, embriagadas por un impulso arrebatador que rezuma vida por sus poros y sus lágrimas.

Tal y como nos dice el autor, en el mundo antiguo Eros estaba relacionado con la creación de la vida, también con la fascinación por la belleza, ya sea de formas, percepciones o acciones y, a modo de síntesis de las dos anteriores, con la atracción pasional y el deseo de vínculo entre amantes. Hace ya unos cuantos años, una peculiar anciana vestida con telas coloreadas que estaba sentada frente a los acantilados de la Mola, de la isla de Formentera, tejiendo una corona de flores silvestres, me llamó con su mano y me susurró al oído lo siguiente: «La persona que pueda percibir belleza en el acto de Buda al lamer las llagas de un perro enfermo estará libre de todos los males y caminará sobre las aguas», y acto seguido lanzó la corona al mar junto con un beso que se transformó en una sonrisa. Tras unos instantes de silencio se levantó, enérgica, me miró con sus ojos radiantes empapados en lágrimas y alegremente me dijo: «La corona es para mi amado, a ti te regalo la belleza», y antes de que yo pudiera reaccionar se fue con su cesto cargado de verduras. Nunca llegué a saber si aquella experiencia fue real o un espejismo inducido por mi imaginación mezclada con el susurro de la brisa marina y los destellos del mar azulado; pero recuerdo que por unos momentos sentí el amor pasional, el amor por la belleza en todas las formas de vida y la compasión por todos los seres, incluido yo mismo. Una compasión que me impulsaba a sentir con los demás y sentirme a mí mismo vivo y vibrante. En cierta manera, encontramos esa evolución del amor pasional hacia el amor místico en el recorrido por el que nos conduce este ensayo, desde la Antigüedad, la Edad Media y el Renacimiento hasta culminar en el Romanticismo con autores como, Goethe, Schiller, Novalis y Hölderlin y su *Hen kai Pan* (Uno y Todo).

Después de presentarnos la concepción del Amor y la Muerte en los autores románticos, que son los que destacan la importancia de la visión subjetiva, fundamentando que la perspectiva escogida por el autor sea desde la óptica de la subjetividad humana, aborda un breve análisis de dicha temática según la opinión de ciertos autores relacionados con la psicología en el siglo xx, sección en la que recapitula tanto críticas como adecuaciones. Seguidamente, enfrenta los posibles sesgos que ha realizado parte de la psicología moderna sobre la visión romántica con una interpretación más profunda y minuciosa de la *Weltanschauung* o visión del mundo de los autores románticos.

La información presentada en los siguientes capítulos puede ayudar a ampliar la visión y enriquecer la reflexión sobre las relaciones humanas. Algunos de los aspectos sobre los que debemos meditar, por su importancia en la forma en la que vivimos nuestras relaciones, son aquellos que utilizan los sentimientos de amor pasional y temor a la muerte para enmascarar y justificar algunos comportamientos hacia otros seres, los cuales pueden tener su origen en la propia inseguridad o en un exacerbado egocentrismo. Ejemplos de dichos comportamientos son: la obsesión en la posesión y control del otro, la dominación, la manipulación, la dependencia, la excesiva sobreprotección o el narcisismo entre otros. Comportamientos que se contraponen a la consideración de autonomía y dignidad de los seres en su vulnerabilidad existencial y su necesidad de vínculo para desarrollarse en plenitud. El análisis filosófico y psicológico que se presenta en esta obra sobre la fenomenología de los sentimientos inspirados en Eros y Thanatos da mayor importancia a los aspectos positivos y trascendentales y aborda, según mi opinión, tangencial o superficialmente las manifestaciones negativas de dichos sentimientos, los cuales pueden ser relevantes para comprender muchos de los problemas de convivencia. El análisis realizado por el autor en el ámbito psicológico puede resultar parcial, sin menoscabar la relevancia del enfoque presentado, debido a la amplitud y complejidad actuales de las diferentes concepciones psicológicas que se reflejan en los diferentes modelos de terapia entre los que se encuentran: la cognitivo-conductual, la psicodinámica, el análisis existencial, la centrada en la persona, la concepción sistémica, el análisis transaccional, la gestáltica, la constructivista, la racional-emotiva, la experiencial, la de aceptación y compromiso, la transpersonal, etc.

En este repaso por la historia de la interpretación de los mitos de Eros y Thanatos en diferentes culturas se nos muestra unos arquetipos que el autor considera sesgados en las propuestas de Freud y Fromm, pero que son recogidos de una forma más integral en la obra de Jung y sus reflexiones sobre el inconsciente colectivo, que caracterizan nuestra humanidad y que podrían articularse en la llamada psicología transpersonal integrando al ser y su misterio. Al avanzar en la comprensión del mito de Eros podemos entrever cómo el ser arrojado a la existencia anhela la fusión con el otro para trascender su solitario *Yo*, el cual lo configura como ser único, pero que lo separa de la comunión cósmica original. En esa transformación personal, a través de un Eros integral y de la pasión, en cierta forma, se supera la soledad y la muerte.

Finaliza con una serie de poemas sugerentes e ilustrativos de esa dimensión intangible y metafísica que se encuentra entre el interior y el exterior de uno mismo y del mundo, en la que la subjetividad es reina y la objetividad su espejo; ya que nuestra experiencia subjetiva compartida conforma la realidad objetivándola, una realidad que quizá esté más allá de cualquier plasmación objetiva absoluta. En este sentido, las palabras finales del *Tractatus,* de Ludwig Wittgenstein, cercanas a la provocación de cualquier koan zen, son ilustrativas de que ante el misterio de Eros y Thanatos las opciones más plausibles son o el silencio o la poesía: «La solución del problema de la vida se vislumbra cuando ese problema se desvanece. (¿Acaso no es esta la razón por la que los hombres a quienes, al cabo de largas dudas, el sentido de la vida se les vuelve claro, no pueden decir en qué consiste ese sentido?) Existe sin duda lo inexpresable. Esto *se muestra* sí mismo; es lo místico… De lo que no podemos hablar, debemos guardar silencio».

Los autores románticos sintieron la necesidad de expresarse acercándose a lo místico, buscaron con su arte y poesía elaborar una especie de *silencio elocuente,* un *expresar lo que no se puede decir,* para trascender la prosa de las palabras a través de la vivencia de un amor pasional íntegro y honesto; y quizá unir así las polaridades, lo femenino y lo masculino en la experiencia del *Ser.* Este ensayo nos manifiesta esa intención que será sopesada en el corazón de cada persona.

Santiago Clusella Mor
Licenciado en Psicología y doctor por la
Universitat de Barcelona

Barcelona, 8 de marzo del 2019

INTRODUCCIÓN

En el siglo XXI, intentar exponer el modelo del Eros romántico parece un desatino, en todo caso una tarea lúdica y diletante.

En plena modernidad, en la era de internet en la que la sociedad ha creado la pornografía de vídeos a ritmo de algoritmos, y las citas sexuales digitales con desconocidos, parece ocioso ocuparse del llamado «amor romántico». Este término evoca en nuestra juventud, hoy en día, la imagen de un joven atribulado con chaleco y perilla, que lee poemas cursis a mujeres con abanicos que suspiran ante un jardín con flores y pajaritos que pían, mientras a lo lejos retumba el cielo y un relámpago ilumina una tumba llena de musgo.

El Eros moderno oscila en el siglo XXI entre la aventura nocturna en las discotecas y la fantasía sexual, aderezado con exhibicionismo. El reconocimiento de la complejidad sentimental del género humano, de la heterosexualidad a la homosexualidad, el lesbianismo, la transexualidad y el transformismo, ha modificado afortunadamente el panorama del Eros. Pero, colateralmente, el sentimiento erótico bidireccional en las parejas se halla en retroceso; en su lugar pululan las percepciones a ciegas, los contactos esporádicos y las alternancias sexuales. El amor básicamente entendido como sexualidad incluso en el matrimonio (Freud estaría exultante) avanza imparable.

Además, las relaciones amorosas en la sociedad del espectáculo, transmitida básicamente por la televisión, nos muestran que la pasión amorosa no ennoblece ni evoluciona a los amantes, al contrario, estos pueden pasar del amorío sexual a tirarse, en minutos, los platos a la cabeza. Lo cotidiano, la moda, el tuteo, la música rap y el aspecto lúdico se han ido enseñoreando de las relaciones amorosas.

En este escenario moderno, la juventud actual tiene escasa información sobre lo que fue y es el modelo del amor pasional romántico. Si preguntamos a un joven por la calle qué significa el amor romántico, nos dirá sin ambages que es un amor al estilo platónico, irreal, cursi, de desmayos repentinos y de represión de la sexualidad, o sea, un sentimiento de amantes chalados.

Pero ese descredito del amor romántico no es solo un suceso cultural, sino que expresa la valoración respecto a este tema de las escuelas de psicología de la actualidad. En términos generales, en la actual psicología de las relaciones de pareja hay una fuerte critica y animadversión hacia el Eros romántico. Para un gran parte de la piscología actual el amor pasional romántico, con sus elementos de entrega, fidelidad, reconocimiento, pasión emocional, misticismo y experiencias de éxtasis, es el responsable de los males eróticos, como la irrealidad, el machismo, los celos, el sufrimiento emocional y la depresión.

En cambio, el arte ha porfiado en el modelo romántico de Eros. Ha intentado con sus pinturas eróticas, sus armoniosas esculturas, sus poesías y novelas sentimentales, sus inspiradas composiciones musicales y sus películas dramáticas, profundizar desde la subjetividad humana en el misterio del Eros. Quien escuche atentamente el *Sueño de amor* de Franz Liszt, percibirá los diferentes estados del amor de pareja, de la flecha de Eros que golpea por primera vez, a la nostalgia del amante hacia la lejana amada. O si vamos a la galería Belvedere, en Viena, y contemplamos atentamente la pintura *El beso,* de Gustav Klimt, podremos casi sentir el significado del primer beso inflamado por Eros en Apolo o en un amante corriente, mientras la amada, quizás la misma Dafne, trémula y ensoñada, recibe la transmisión de la energía de Eros, antes de convertirse en un laurel. Una poesía erótica que siempre me sorprende, a pesar de su brevedad, es la *Rima XXI,* de Gustavo Adolfo Bécquer, cuando a través de la pregunta sobre la esencia de la poesía, el amante se traiciona a sí mismo por el Eros que siente en su interior, al identificar a la amada con la misma esencia de la poesía.

Pero la pregunta básica continúa siendo: ¿por qué ahora un ensayo sobre el modelo del Eros romántico? ¿qué utilidad tiene para la juventud y para los enamorados de cualquier edad, aparte de su valor histórico?

La respuesta pasa precisamente por el desconocimiento y los prejuicios que existen contra todo el movimiento cultural del Romanticismo.

La sociedad industrial del siglo XXI es heredera de la Ilustración y no del Romanticismo; sus valores centrales se basan en la racionalidad, la ciencia, la lógica de las cosas, el cálculo y la previsión y, sobre todo, en las razones de la economía. El canon de nuestra época es la razón.

Por el contrario, el Romanticismo es aquel movimiento social que promovió la prioridad de las emociones y los sentimientos, de la fascinación por lo paranormal, de la comprensión de la naturaleza como sujeto, de una ciencia espiritual alejada de la tecnología agresiva, de una religión no dogmática y no represora y, sobre todo, expuso hasta la saciedad el Eros pasional de pareja. El Romanticismo propugnó siempre la vivencia desde el Yo individual, frente al control ideológico de lo colectivo.

Con este ideario era inevitable que tanto la Ilustración como el positivismo cientifista trataran por todos los medios de erradicar los ideales románticos en Occidente. Mediante la educación, Occidente ha porfiado durante el último siglo en desacreditar los valores del Romanticismo intentando, con bastante éxito y por todos los medios, enterrar aquella ideas o, en todo caso, relegarlas al ámbito del arte y la estética. Como máximo podemos emocionarnos con la música de Beethoven y Schubert, los grandes músicos románticos, pero nada más.

A tal extremo que hoy la palabra «romántico» en sentido peyorativo significa, para la mayoría de la población, una posición ilusoria, irreal y contraproducente.

En esta cruzada contra el Romanticismo participaron, asimismo, las fuerzas aparentemente progresistas, como el marxismo y el socialismo, tachando al ser humano romántico como reaccionario y burgués. Es sorprendente que esta crítica ideológica olvide que el Romanticismo tuvo pensadores como Rousseau, Schiller, Hölderlin, Byron y Thoreau, profundamente comprometidos por sus ideas románticas con una acción revolucionaria y humanista.

En este escenario de desprecio por los valores románticos, al Eros pasional de los románticos le ha tocado quizás la peor parte. A tal extremo que, en la actualidad, lo que se transmite como amor pasional romántico es tan solo una caricatura de lo que fue, aparte de sesgar su contenido, ya que se destacan siempre los elementos negativos del mismo, ocultando sistemáticamente sus aspectos positivos.

Precisamente por esta conspiración contra lo romántico, es necesario y conveniente, en pleno siglo XXI, exponer la verdadera esencia del Eros romántico. Entre otras cosas, porque puede que nos sorprendamos cuando descubramos que ninguna generación como la romántica fue capaz de penetrar en los misterios del Eros como ninguna otra cultura o movimiento cultural. Y posiblemente, esto nos aclare muchos de los vericuetos actuales sobre el amor de pareja, y nos ayude a entender la naturaleza del Eros.

Sin embargo en este propósito se yergue un obstáculo. El problema se presenta por el hecho que a menudo, el modelo del Eros pasional romántico tiene una extraña relación con Thanatos, es decir con la idea de la muerte.

Por esta razón todo intento de mostrar el modelo del amor pasional romántico de pareja, conlleva al mismo tiempo des-ocultar la esencia del mismo Eros y de su extraño acompañante que es la muerte. En otras palabras: describir el Eros romántico, nos conduce al mismo tiempo a entender qué clase de relación real tenía dicho Eros con Thanatos.

En el planeta Tierra, uno de los fenómenos de la vida más dominantes y sorprendentes lo constituye el Eros. Las criaturas terrestres, aparte de procurarse alimento de manera instintiva, tratar de sobrevivir y jugar lúdicamente, se mueven apasionadamente por la energía de Eros. Recorren grandes distancias, afrontan graves peligros y ejecutan calculados movimientos de cortejo por Cupido. Sin olvidar el amor maternal que domina a las madres cuando defienden y cuidan a sus crías. E incluso las plantas, cuando llega la primavera, sufren la influencia avasalladora de Eros que se expresa en sus flores, polen y frutos.

Como intuía el filósofo griego Empédocles, el Eros es la fuerza más universal del cosmos. Eros es el correlato de la misma vida, ya que solo gracias a él, gracias a su poder, la vida se reproduce y consigue permanecer sobre el planeta. Hace millones de eones, cuando en la Tierra surgió la vida, ya esta apareció con la intención de quedarse y para ello inventó el Eros en las especies. A primera vista, Eros parece ser un poderoso instinto, el instinto de reproducción de la vida y, efectivamente, Eros se basa, en parte, en el instinto sexual, pero su misterio reside en que, al mismo tiempo, es mucho más que un instinto. Más allá del pacer y la sexualidad, el Eros persigue la belleza, pretende fundirse con ella.

Los seres humanos no escapan a sus flechas. A pesar de que dejaron atrás las conductas instintivas y que han desarrollado el pensamiento y la conciencia, el Eros sigue incólume dirigiendo muchas de las acciones de sus vidas. Transformado en diversos sentimientos, el Eros se presenta a los humanos en gran diversidad de matices: como amor maternal, como amistad, como filantropía, como amor a ideales y proyectos, como amor desinteresado y compasivo al prójimo, como amor a la divinidad, como amor pasional de pareja y como amor a la Naturaleza. La Humanidad tiene una imagen simbólica de Eros, es la figura de un joven irreflexivo, travieso y entrometido que contagia a través de sus arco y sus flechas la locura del amor.

Frente a la vida y su reproducción por la energía activa de Eros, se yergue otra entidad simbólica que es más bien pasiva y que podemos denominar Thanatos, es decir, lo que los humanos conocemos como la muerte. El fenómeno de Thanatos es, también, como en el caso de Eros, universal en el cosmos. Todas las criaturas, tras un tiempo y espacio determinado, entrarán en el túnel de la no existencia. Todas sus actividades y sus proyectos serán abruptamente abandonados, sus cuerpos empezarán a descomponerse y su psiquismo y su voluntad no actuarán. Thanatos puede entenderse con un doble significado. Por un lado, es solo simbolismo, el límite con el que se encuentra la vida de las criaturas en el planeta cuando envejecen o enferman gravemente, o devienen víctimas mortales de las circunstancias. Por otro lado, Thanatos también se presenta activamente como un impulso ocasional (que no instinto como defendía Freud) de autodestrucción de la vida, que las criaturas terrestres poseen en situaciones límite. La Humanidad también ha creado una imagen simbólica de la muerte, se la suele presentar como un ángel cuyo semblante y cuerpo es la de un ser humano descarnado y esquelético, con una guadaña sobre su hombro.

La relación entre Eros, el instinto generador de la vida, y Thanatos, el impulso destructor y clausurador de la misma, es compleja. En un principio, son opuestos, contrarios, lo que significa que cuando uno aparece el otro se retira. Entre Eros y Thanatos no existe intercambio. No obstante, en su rol de impulso autodestructivo, Thanatos, algunas veces, se aproxima a Eros, en especial cuando este muestra meramente su vertiente sexual. Sigmund Freud, estudiando fenómenos de desviación psíquica como el masoquismo y el sadismo, señaló que, en estos casos, el Eros pasional se amalgama con Thanatos, entendido este como impulso destructivo. Pero más allá de desviaciones y patologías, lo cierto es que, aun sin estar en juego venganzas por sexualidad, los amantes románticos en los textos y las historias se ven conducidos por desesperación desde el Eros hacia Thanatos. ¿Cuáles son las claves de este misterio? La respuesta solo puede hallarse en la reconstrucción del paradigma del amor de pareja y su compleja fenomenología.

Algo tan indescriptiblemente bello como el Eros y algo tan sobrecogedor y horrible como Thanatos han sido, sin embargo, escasamente investigados, y mucho menos aclarados, por la cultura occidental. Pero si queremos desentrañar el misterio del amor pasional de pareja y tratar de recordar el amor romántico, debemos atrevernos a hollar esta senda.

La ciencia moderna ha descuidado o vadeado constantemente este tema. Y cuando se ha ocupado de ello, lo ha llevado a cabo como de costumbre, presentando a Eros y Thanatos como fenómenos biológicos de reproducción y defunción. Siempre lo ha llevado a término desde fuera de la subjetividad humana, sin contar con la perspectiva interior del ser humano, sin analizar y contemplar qué sucede en la conciencia cuando estos dos fenómenos rigen.

En este ensayo intentaremos seguir las ruedas del arte romántico, en especial de su literatura y poesía, pero con un discurso racional y reflexivo, y eso es tarea de la denostada filosofía.

Este será, pues, el objetivo: exponer desde la óptica de la subjetividad humana, desde los fenómenos que tienen lugar en la conciencia, el concepto del amor pasional romántico, de Eros el Protógeno como se le llamaba en los misterios de Eleusis. El trabajo pretende exponer de forma coherente este sentimiento que se inició en las antiguas culturas y que floreció en el siglo XIX, en especial para mostrar que tanto su olvido como sus críticos eluden su verdadera esencia. Y finalmente, aunque sea con brevedad, señalar la extraña y mal comprendida relación de los amantes con Thanatos.

Último aviso para los lectores críticos. El texto que sigue a continuación no pretende ser exhaustivo con respecto a la filosofía sobre el amor romántico, ni intenta abarcar todo el debate actual en torno a este tema en el seno de la piscología moderna, y tampoco es un texto clásico de autoayuda sobre las relaciones eróticas con ejercicios prácticos, aunque algunos capítulos pueden leerse también en este sentido. Más bien el ensayo se parece a un manifiesto cuyo propósito reside en destacar lo positivo y olvidado del modelo de dicho amor.

EROS Y LA SEXUALIDAD

En el siglo xxi parece difícil distinguir entre Eros y sexualidad. Vivimos en la época de la liberación sexual como herencia de Mayo del 68, y muchas de las conductas amorosas suelen estar dirigidas por el instinto sexual

La revolución sexual que alcanzó su plenitud a finales del siglo xx, vino en parte dada por el psicoanálisis de Sigmund Freud, quien señaló la central relevancia que la sexualidad posee en la psique humana y en sus conflictos. Alumnos de Freud como Wilhelm Reich incluso fueron más lejos y aseguraron que la sexualidad y el orgasmo eran esenciales para la salud y el equilibrio psíquico humano.

En este escenario de promoción y liberación de la sexualidad solo la psicología de Jung puso una nota discordante. Señaló Jung,[1] a diferencia de Freud, que la sexualidad no era la piedra angular de la psicología profunda, que existen en la conciencia humana muchos elementos eróticos que no se hallan sujetos a lo sexual. O dicho de otra forma: en la relación de pareja, sea cual sean los géneros de los amantes, si solucionamos los

---

1 Jung, Garl Gustav. Freud y el psicoanálisis. Obras completas. Volumen 4. Ed. Trotta. Madrid, 2000.

problemas sexuales ni mucho menos solucionaremos todos sus problemas sentimentales; para ello es necesario que la pareja desarrolle el Eros de forma integral.

Por todo ello, si queremos escribir sobre el Eros, se hace imprescindible previamente distinguirlo de la sexualidad y comprender su real perspectiva. Por lo tanto, como paso previo debemos preguntarnos: ¿qué es la sexualidad?

Las criaturas del planeta poseen cuatro instintos básicos: el de alimentación, el de supervivencia y conservación, el instinto lúdico y el instinto de reproducción. Este último instinto constituye la base de la sexualidad que pretende asegurar la continuidad de la especie.

La Naturaleza ha diseñado a todas las criaturas con este instinto peculiar que hace que el sujeto, en su deseo sexual, se proyecte y sea atraído por una serie de estímulos ópticos, olfativos, táctiles y auditivos hacia los genitales y las partes erógenas del otro sujeto, y que conlleva que los propios genitales se unan con los otros órganos sexuales en lo que conocemos como cópula, que no es otra cosa que la unión y el encaje de unos genitales con otros. El fin último de la sexualidad reside en el orgasmo, y en el placer que este conlleva. En el orgasmo, junto con el placer, se desencadena la descarga psíquica y biológica del sujeto hacia el otro sujeto, que a menudo conlleva el proceso biológico de unión entre espermatozoo masculino y óvulo femenino que da lugar a la gestación a través del feto de un nuevo individuo de la especie en el nacimiento.

Es fácil confundir la sexualidad con el Eros, ya que se hallan estrechamente relacionados.

La diferencia reside en varios aspectos.

Por ejemplo, en la sexualidad no tiene lugar un reconocimiento integral ni un respeto del Otro, las emociones que en este acto se expresan no van ligadas a otras partes de la conciencia, sino que tienen como único fin el orgasmo. Cuando el Eros es integral junto a lo sexual se desencadenan en los amantes sentimientos elevados de ternura, de unión con el Otro y, sobre todo, de mantener y continuar la relación más allá del sexo.

Es significativo que en una relación meramente sexual, tras el orgasmo aparezca el hartazgo y el tedio. De hecho, el deseo sexual y el orgasmo pueden realizarse sin amor integral, la relación sexual no necesita que las personas sean amantes previos.

No obstante, la sexualidad constituye un elemento suficiente del amor de pareja. Al igual que la atracción sentimental y espiritual, la atracción y el deseo sexual deben estar presentes en el amor pasional de pareja. Esto nos transmite que la sexualidad, aun siendo constitutiva de una relación erótica, constituye solo un momento o elemento de dicha relación.

Por lo tanto, la sexualidad en el Eros no es el único protagonista de la relación; cuando así sucede el amor de pareja tiene los días contados. Lo inverso, empero, también es cierto: cuando el Eros se sustenta solo en sentimientos de ternura y entrega pero fracasa en su relación sexual, el Eros también afrontará una grave crisis.

Desde el punto de vista de la psicología moderna, podemos decir que la sexualidad desencadena la energía base en la relación erótica, pero esta energía no se orienta solo hacia fines de ludismo sexual, sino que, al mismo tiempo, produce una atracción sentimental e incluso espiritual que trasciende lo sexual.

Si ahora reflexionamos profundamente desde la Subjetividad en torno al deseo sexual, advertiremos que, incluso en este nivel primario, la biología revela que lo sexual no es lo decisivo. Por ejemplo, lo revela el hecho de que el resultado de lo sexual tienda a la unificación de los rasgos de lo masculino y femenino, que se expresa posteriormente en el bebé. El nuevo bebé es, pues, el producto de una fusión de opuestos complementarios, que se traduce en los rasgos genéticos herenciales de ambos sujetos. Desde esta óptica, el milagro de la sexualidad preludia ya lo que sucederá si la relación es, además, con amor integral, es decir, que la sexualidad es un medio y no un fin en sí mismo. La misma biología revela ya la unión entre amada y amado. Aunque luego los amantes se separen, permanece en la Naturaleza visible para siempre el testimonio de su unificación en el bebé que devendrá niño o niña. Lo que un día fue unido, ya nunca más podrá separarse.

En resumen, a través de esta reflexión, hemos conseguido saber más acerca del misterio del Eros de pareja. El Eros estrictamente sexual es solo una dimensión del Eros de pareja, porque sirve a la especie y no al individuo al que se consuela con el placer del orgasmo como recompensa. En esta figura le hemos diferenciado otra dimensión, que hemos denominado Eros integral, que conlleva una serie de emociones y sentimientos de unificación consciente con el Otro, que provienen no de emociones instintivas sino de sentimientos elevados y nobles conscientes. Estos placeres ya no sirven a la especie, o sea, a la reproducción biológica, sino a la evolución de los individuos, e incluso a su autoconocimiento.

En sintonía con las antiguas tradiciones que valoraban la mera sexualidad como un milagro divino, nuestra reflexión no pretende ni por asomo devaluar lo sexual como suelen hacerlo las concepciones religiosas monoteístas. La sexualidad en el Eros es tan milagrosa y sorprendente como lo pueda ser en el Eros la espiritualidad de los amantes, son tan solo niveles diferentes y complementarios que se intercomunican mutuamente. Empero, la antigua tradición también sabía ya que el Eros de pareja no era solo sexualidad; baste recordar, para fundamentar esto, que el Cupido en las estatuas y pinturas no dirigía sus flechas a los genitales de los amantes, sino a su corazón.

CAPÍTULO PRIMERO

SOBRE LA HISTORIA
DEL EROS EN LA ANTIGÜEDAD

Hace miles de años, en un principio, fue el mito. En la actualidad, contamos los mitos y las leyendas a los niños; consideramos, pues, en la modernidad que el mito es un producto de una fantasía o una imaginación de una época en la que la humanidad se hallaba en la infancia, por utilizar un término del pensador positivista Auguste Comte[2].

Sin embargo, el mito encierra mucho más que fantasía e imaginación. La mayoría de los mitos de las antiguas culturas fueron escritos en poesía sacra. La poesía es una actividad que combina lo racional con lo irracional, el sentimiento con la imaginación, lo consciente con lo inconsciente. Por esta razón, el mito ancestral revela explicaciones de los fenómenos de la realidad a través de símbolos e imágenes superpuestas, que conectan con elementos racionales que ayudan a entender la compleja causalidad de lo real.

De esta forma, en el mito antiguo encontramos estructuras metafísicas, psicológicas, oníricas e históricas que atraviesan el imaginario cultural de los antiguos pueblos, y más allá de sus

---

2 Comte, Auguste. Curso de filosofía positiva. Ed. Aguilar. Buenos Aires, 1973.

elementos racionales e imaginativos, encierran valiosos conocimientos universales sobre la Naturaleza y el ser humano. A veces se inician en acontecimientos históricos individuales, pero luego son apropiados por colectividades, que los enriquecen y los modelan y, a menudo, los transforman en función de cambios en aquellas sociedades: lo histórico, lo político y lo metafísico se hallan entrelazados pero siempre ocultan arquetipos que nos ayudan a entender, a través de símbolos y anagramas, mucho más que el lado racional de la realidad.

Por estas razones, todo intento de escribir sobre el amor, debe empezar con lo que las antiguas culturas nos han transmitido sobre dicho fenómeno mediante los mitos. Solo así empezaremos a captar el misterio del Eros.

EL AMOR EN EL EGIPTO FARAÓNICO

En el lenguaje jeroglífico del antiguo Egipto, la acción que atañe al amor como fuerza del cosmos se traduce con la palabra «mer», que también significa «pirámide» y, al mismo tiempo, «canal». Esta semántica ya apunta que es una energía conectadora entre cielo y tierra, una potencia generadora de todas las cosas.

En Egipto, la diosa del amor o Eros que se asemeja a Afrodita helena es, sin lugar a dudas, Hathor; en su versión de diosa de los enamorados aparece como Neb-Tuu, esposa de Jnum y, curiosamente, madre de Heka, que es el término egipcio para denominar la «magia». Jnum, el dios carnero, es un dios ancestral que como su nombre indica procede del caos primordial, de las aguas abisales, y estaba íntimamente relacionado con las aguas del Nilo. La teogamia entre Hathor

Neb-Tuu y Jnum genera el dios del encanto y la magia: Heka. De esta mitología se deduce que la diosa del amor tiene un vástago. Al igual que el hijo de la Afrodita helena es Eros, el hijo de Hathor en Egipto es Heka, el niño mago, el travieso niño mago que atrae y encanta. Y cuyo origen proviene del caos y de una diosa creacionista.

En Egipto, Heka, más que un dios, es una fuerza del cosmos solar, es la energía mágica que todo lo atrae y lo relaciona, la potencia energética invisible. Los egipcios, pues, relacionaban con la magia el amor o el Eros de pareja, porque la magia posee una atracción peculiar en el cosmos, y la atracción que se establecía entre los amantes era reconocida como «mágica», como un canal de energía que se desencadenaba entre ellos y los atraía hacia la unidad. Veamos un poema de amor escrito en una Ostraca que se halla con el número 1266, en el Museo Egipcio de El Cairo[3]

> Mi amada, mi amor, está al otro lado del río:
> la corriente entre ella y yo;
> las aguas están altas: es la época de crecida en el Nilo.
> Un cocodrilo en un banco de arena.
> Entro en la corriente y no temo el agua,
> mi corazón es fuerte en las profundidades;
> el cocodrilo, para mí, es como un ratón
> y el agua es como tierra para mis pies.
> Su amor me hace fuerte,
> es como un conjuro sobre las aguas.
> Ella está de pie frente a mí,
> ¡y yo solo escucho el deseo de mi corazón!

---

3 Soler, Josep. Poesía y teatro en el antiguo Egipto. Ed. Etnos. Madrid, 1993.

Esta poesía lírica pertenece al Imperio Nuevo (1550-1080 a. C.). En esta época faraónica florecen los cantos e himnos al amor, y casi siempre siguen un mismo patrón. Un joven o una joven, individualmente y en soledad, expresan profundamente sus emociones más secretas. Constituye un lirismo alejado del misticismo erótico-religioso de culturas orientales como la persa, e impacta al lector por su escueta sencillez, muy alejada de la poesía erótica refinada, como la de Shakespeare y Rilke. El poema concreto nos muestra que para los egipcios el amor de pareja pasional es como un conjuro, una magia derivada de la Heka de los magos. Por este amor, el amante es capaz de afrontar todos los peligros con la certeza de que la energía de la corriente erótica que siente le protegerá.

THANATOS EN LA MITOLOGÍA EGIPCIA

Ninguna otra cultura en el mundo antiguo estuvo tan interesada en la muerte y sus consecuencias como la antigua cultura del país del Nilo. Mientras que Occidente se orienta en su ciencia y sus conocimientos a la vida sobre el planeta y a lo visible, Egipto se orientó ya desde sus inicios hacia lo paranormal, lo invisible y la misma muerte. Mientras que la cultura helena tenía solo vagos conocimientos relativos a lo que significaba la muerte humana, los egipcios poseían conocimientos asombrosos sobre el metabolismo de la muerte y del óbito.

El gran descubrimiento de la religión egipcia se basó en la experiencia conseguida por los colegios sacerdotales iniciaticos que indicaban que existía tras la muerte física del ser humano una cierta supervivencia de algunos correlatos de la conciencia. Según los egipcios, tras la muerte se producían una serie de fenómenos hiperfísicos en la conciencia que insinuaban una existencia *post mortem*. Para apuntalar y guiar la conciencia humana tras el óbito se diseñaron rituales mágicos, el más famoso de todos ellos es la momificación, aunque no el único.

Una cultura tan fascinada por el fenómeno de la muerte tuvo una serie de deidades en consonancia con estas creencias. Ciertamente, el Dios que reinaba en el Duat, es decir, el inframundo egipcio, era Osiris, pero el verdadero conductor y chambelán de la muerte humana fue el dios Anubis, que siempre se le representa con cabeza de chacal. Posiblemente, el hijo de Osiris y la diosa Neftis, Anubis, era el conductor de Thanatos, el dios que en la aurora recogía las almas de los finados y cuyo culto encontramos en los cementerios. En la leyenda de Osiris, tras la muerte de este a manos de Seth, Anubis ayudó a Isis a recuperar y momificar su cuerpo para que pudiese resucitar. Cuando los faraones morían, los sacerdotes que entraban en sus cámaras siempre lo hacían con sus máscaras en nombre de Anubis. Mientras que Seth era la deidad destructora, Anubis, en cambio, simbolizaba la deidad que, a pesar de llevar la muerte, era el heraldo del viaje al inframundo. Para los egipcios, por lo tanto, Thanatos no era el fin de las cosas bellas de la vida como en Occidente, sino que era la gran transformadora que abría las puertas a una existencia *post mortem* y un posible ascenso a las estrellas.

La primera conexión entre Eros y Thanatos en Egipto se encuentra, posiblemente, en la antigua leyenda del Ojo de Ra. Vale la pena recordar que fue encontrada en las pinturas de la tumba de Tutankhamon.

La leyenda es como sigue: Hacía miles de años que el dios creador, Ra, dios del sol, reinaba en Egipto. Él había creado a los seres humanos con su amor. Ra envejecía y, poco a poco, los humanos empezaron a conspirar contra su reinado. Ra reunió un consejo de dioses y decidió castigar a una parte de la humanidad, a los conspiradores que se habían refugiado en el desierto. Convocó a su hija más amorosa y bella, la hermosa Hathor, diosa del amor, y le dio su poderoso Ojo, diciéndole que esta vez trocase su amor en odio y que aniquilase a los conspiradores. Hathor fue al desierto en su versión de leona, y destruyó a los conspiradores, pero su furia no se aplacó y amenazó con matar a los hombres de Egipto. A tal extremo, que Ra se apiadó de los seres humanos y mandó a los sacerdotes elaborar enormes lagos de cerveza ocre parecida a la sangre, de la cual bebió Hathor calmando su furia destructora y volviendo a ser la diosa del amor.

Esta leyenda se convirtió en costumbre anual, y una vez al año el pueblo celebraba la «embriaguez de Hathor», que recordaba este hecho.

La leyenda del Ojo de Ra simboliza, desde nuestra óptica, la posible transformación cósmica del Eros no correspondido o traicionado en odio y discordia. Ra había creado la humanidad en un acto de amor, que en ningún momento fue correspondido ni compensado y, por un momento, ese amor se retiró y apareció su contrario Thanatos.

LA MITOLOGÍA HELENA SOBRE EROS

En la tradición griega antigua, uno de los textos más antiguos para entender la naturaleza de Eros lo tenemos en Orfeo y en sus himnos poéticos, que datan, posiblemente, del 2 500 antes de Cristo, escritos en hexámetros.[4]

---

4 Maynadé, Josefina. Himnos órficos. Ed. Diana. México, 1973.

Al PROTOGENO EROS

¡Oh, inmenso, primigenio, oye mi ruego!
Andrógino, nacido del huevo, vagabundo del espacio,
toro volador, con la gloria de tus alas de oro,
de ti emanó la raza de los dioses y los hombres.
Ericapeo, exaltada potestad,
inefable, oculto, flor omniresplandeciente.
Las brumas de tu oscuridad la vista aclaran
difundiendo doquiera la pura, radiante y santa luz.
Por ello se te ha denominado Fanés, la gloria de los cielos.

A EROS

Gran Eros, te reclamo, manantial de las dulces delicias,
sagrado y puro que las miradas seduces.
Alado arquero, ardiente, impetuoso en tus deseos,
que con los divinos y los mortales juegas, lumbre errante,
ligero andrógino, guardador de las llaves
del cielo, de la tierra, del aire, de los extensos mares,
de cuanto contienen los reinos fecundos de Deméter,
cuya vida sostienen las maternas diosas,
del lúgubre Tártaro cuya vigilancia por decreto ejerces…
A ti te obedecen los diversos reinos de la Naturaleza
que avanzan por si solos, impelidos por el universal aliento.
Acércate, bienaventurado poder, contempla estas lumbres sacras
y aparta de nosotros los ilícitos, nocivos deseos.

El poeta Orfeo constituye la fuente más antigua de la cultura griega. Aparte de su poesía, sus fragmentos filosóficos son los primeros en la edición base sobre la filosofía helena de Diels-

Kranz.[5] Procedente de Tracia e hijo del rey Eagro, la leyenda indica que su madre fue la musa divina Calíope. La tradición escrita certifica su viaje de iniciación religiosa a Egipto, en una época en la que Grecia todavía se hallaba sumida en la barbarie y en el Mediterráneo solo existían los focos culturales de Tartessos y Creta con la cultura minoica. Se le considera el primer poeta heleno que inaugura la era astronómica de Aries, y que tras su iniciación en Egipto empezó a difundir la poesía mística y religiosa en Grecia fundando santuarios. Los versos en hexámetros se recitaban normalmente acompañados de la música de una lira de siete cuerdas y, a menudo, en paralelo con danzas.

En los versos expuestos, el primero canta las excelencias del Eros como Protógeno, es decir, como energía o fuerza universal de la creación, mientras que en el segundo se canta al Eros pasional de pareja.

En la última estrofa del segundo verso se expone que, a pesar del inmenso poder de Eros, su energía no es malévola, sino que, por el contrario, quien siente las flechas de Eros aparta los deseos horribles y nocivos.

Según la cosmología y mitología órfica, posiblemente la más antigua cosmología helena, en el principio solo existía Cronos, el tiempo, junto al éter o Noche y el Caos. De aquí se gestó un huevo del que emergió Fanes, o sea, el Demiurgo Creador que se identifica, asimismo, con Eros, y fue esa energía creadora de Eros-Fanes del que emergieron dioses y hombres

Eros es identificado por los órficos como Protógeno, es decir, lo que primero ha salido de la creación.

Eros, pues, no posee padre ni madre, apareció del principio del Creador mismo, del huevo cósmico. De hecho, es contem-

---

5 Diels-Kranz. Fragmente der Vorsokratiker. Ed. Weidmann. Hildesheim, 1989.

poráneo de Gea, o sea, la Tierra y el Tártaro o inframundo, pero es una energía de luz creativa y, además, se halla más allá de los sexos y géneros; es andrógino. Interesante es la estrofa que lo sitúa como el que mueve toda la Naturaleza y desencadena la fecundidad. Ya aquí, en su comienzo, se incluye en su dominio incluso el Tártaro, o sea, el reino de Thanatos.

Los órficos ya describen a Eros como la divinidad del amor de pareja pasional, e inauguran la tesis de sus travesuras e irresponsabilidad, el Cupido, que no respeta edades ni reglas. La metáfora del arquero y sus flechas responde a lo que les sucede a los humanos con el sexo opuesto, es decir, el amor inesperado que se asemeja a una saeta que se clava en el corazón.

La segunda gran cosmogonía griega posterior es la del poeta Hesíodo,[6] que expone la creación como sigue:

> Antes que nada se generó el Caos, después Gea, de ancho seno, asiento firme de todas las cosas para siempre y el Tártaro nebuloso en un rincón de la tierra de anchos caminos y Eros, que es el más hermoso entre los dioses inmortales, relajador de los miembros y que domeña, dentro de su pecho, la mente y el consejo de todos los dioses y todos los hombres.

Vemos como Hesíodo indica que en el principio era el Caos, después Gea, o sea, la Tierra y el Tártaro y, al mismo tiempo, surgió el Eros, la bella divinidad que todo lo somete. Es decir, también en Hesíodo el Eros aparece como de las primeras fuerzas divinas creacionistas, muy anterior a los dioses; de hecho, los dioses necesitan de Eros para generarse entre ellos. Mitologías posteriores helenas sitúan ya a Eros, el arquero,

---

6 Kirk, G. S. y Raven, J. E. Los filósofos presocráticos. Ed. Gredos. Madrid, 1966.

como hijo de Afrodita y Hermes, o sea, de la belleza y la magia, y ya lo califican de niño travieso e indómito, sin respeto por las reglas o las edades, que con sus flechas, que prendían como antorchas en los corazones humanos, difundía la locura erótica.

INTERPRETACIÓN DE LA MITOLOGÍA

Parece claro que en las antiguas cosmologías míticas, Eros es más bien un poder sexual y creador que de inmediato aparece del Caos y del Huevo cósmico. Es la luz primigenia, andrógina, que da lugar a los géneros tanto divinos como humanos. Después, en la época clásica, el Eros se humaniza y se concreta ya en la energía de los amantes, en el arquero o Cupido que inflama por pasión amorosa los corazones y, simbólicamente, se le coloca como resultado de la mirada hacia la belleza y la atracción mágica que provoca en los géneros, que se va a denominar también como *manía* o *locura divina*.

Así, en la época griega clásica, la comprensión popular del Eros es la de definirlo como una fuerza invisible que golpea de súbito a los humanos, sin hacer distinción de sexos o edades; ya no es meramente una fuerza sexual aunque lo sexual está presente en su contenido, sino que se convierte en un misterio o en una locura divina, porque, ciertamente, para los griegos, la actuación de los amantes era algo que superaba toda regla y toda lógica. A diferencia del resto de los mortales, los amantes actuaban sin importarles las penurias o las convenciones sociales, solo vivían para ellos, y se sentían felices al estar juntos a pesar de todas las adversidades. Por el Eros los amantes incluso iban más allá del bien y el mal, de toda ley moral. Por lo tanto, el ciudadano medio entendía que habían sido afectados por una locura de carácter religioso, una posesión divina, que les hacia inmunes al temor a la muerte (Thanatos) y al descrédito. Pero, por otro lado, Eros mantenía una tensión con Thanatos, no solo porque a menudo era peligroso amar, sino porque, en el mismo momento orgiástico del amor, la vida se suspendía y la irracionalidad conducía al amante a procelosos caminos. También el juego amoroso era otra de las peculiaridades de Eros, el aspecto lúdico del mismo también estaba presente en la mentalidad helena.

Aunque sea brevemente, he aquí alguna poesía lírica helena ya en el campo de la literatura antigua griega, en la que se nos expone el sentimiento erótico de los amantes.[7]

> De veras, quisiera estar muerta.
> Ella al dejarme,
> vertió muchas lágrimas,
> y decíame esto:
> ¡Ay qué pena tan grande!
> Safo, créeme, dejarte me pesa.
> Y yo, contestando, le dije:
> «Ve en paz y recuérdame, pues sabes el ansia
> con que te he mimado. Y por si no
> quiero recordarte…
> …y cuando gozamos».
> A mi lado, muchas coronas
> de violetas y rosas..
> Te ceñiste al cuerpo.
> …………………
> Y no había ningún sagrado
> de donde estuviéramos ausentes,
> ni arboleda.

---

7 Ferraté, Juan. Líricos griegos arcaicos. Ed. Seix i Barral. Barcelona, 1968.

La poesía de Safo, de Lesbos, fechada en el 600 a. C., es una de las cimas del Eros de pareja femeninas, entre amada y amada. Leyendo estas estrofas se nos transmite una infinita ternura y un lirismo que anima el amor de género femenino, en donde, aparte de la presencia de lo sexual, al mismo tiempo se generan diversos sentimientos fraternales que ciertamente no encontramos en otros poetas masculinos como Alceo o Anacreonte, cuando mencionan al Eros.

THANATOS EN LA MITOLOGÍA HELENA

Al igual que Eros, Thanatos es una figura ancestral que se sitúa en el origen de la creación anterior a los dioses tradicionales. Según Hesíodo, después del Caos y Gea nacieron la Noche, el Día, el Tártaro y el Aire.

De la unión posterior entre la Noche y el Tártaro se produce el Hades, Thanatos, la Vejez, Hipnos el sueño, las Moiras, el Engaño, la Burla y la Némesis.

Thanatos es, pues, un elemento indispensable para la creación tal como está establecida, y su entidad vive en el Hades, y viaja siempre para arrebatar la vida a los humanos y llevarlos a este lúgubre lugar. Thanatos es capaz de distorsionar el espacio y el tiempo, y se presenta como una fuerza terrible e invisible. Los humanos no la distinguen cuando se acerca, y normalmente cuando la perciben ya es demasiado tarde para ellos. Interesante es su cercanía a Hipnos, el sueño; de hecho para los humanos la única concepción que pueden tener de la muerte en vida es su entrada en su hermano, el sueño.

En conexión con Thanatos, es interesante recordar la leyenda de un personaje que trata de escabullirse de la misma.

Nos referimos a Sísifo.[8] Hijo de Eolo, se casó con la pléyade Mérope. Tuvo tres hijos y vivía en Corinto como pastor, aunque entre los griegos Sisífo era conocido por su astucia y sus robos. Cuando Zeus raptó a Egina, Sisífo delató el rapto a su marido, el dios fluvial Asopo, para obtener ganancias del dios del río. Esto hizo montar en cólera a Zeus, quien envió a su hermano Hades con la misma Thanatos a buscarle y matarle. No obstante, Sísifo idea un ardid para evitar la muerte, le puso unas esposas a Hades con el argumento de que iba a enseñarle su uso, y de esta forma Thanatos quedó maniatada, y aconteció que en los días que estuvo bloqueada en casa de Sisífo nadie en Grecia podía morir. Esto enfureció al dios de la guerra, Ares, quien liberó a Hades, así Thanatos arrancó su alma y llevó finalmente al díscolo Sísifo al inframundo. Sin embargo, el astuto Sísifo había advertido a su mujer, Mérope, antes de partir al infierno, que no se enterrase su cuerpo. Nada más llegar al inframundo habló con Perséfone la esposa de Hades, y se quejó de que no debía estar allí ya que no había tenido funerales. Perséfone fue engañada de nuevo por Sísifo con el argumento de que se le permitiese volver a Grecia para enterrar su cuerpo y después volver al Hades en tres días. De vuelta en Grecia, burló al guardián del inframundo el Cancebero y al mismo Caronte, el barquero que pasaba las almas de los muertos sobre la Estigia. Naturalmente, Sísifo, una vez en el mundo superior, no cumplió su promesa y permaneció en su casa incluso como fantasma. Al final fue el mismo Hermes el Piscopompo que volvió a arrastrar a Sísifo al dominio de Thanatos, y allí fue juzgado por los jueces del Hades que lo condenaron al eterno suplicio del arrastre de

8 Graves, Robert. Los mitos griegos. Volumen 1. Alianza Editorial. Madrid, 1985.

una piedra gigante hacia la cima de una montaña, que siempre descendía sin llegar a la cima.

Este bizarro mito, en especial la momentánea burla de Sísifo a Thanatos, ha sido interpretado en clave histórica como alusión a un rey que en Corinto se negó a abdicar en su vejez, pero a nivel simbólico y psicológico muestra otra explicación. Gracias a su sabiduría, Sísifo es capaz de superar la primera aparición de Thanatos, como aquel caballero medieval que jugaba al ajedrez con el ángel de la muerte e incluso luego, como alma finada, pone de nuevo su astucia en juego para limitar su estancia en el Hades. Constituye una clara descripción del imaginario heleno, es la confianza en que la muerte, para el alma, es solo un cambio de dimensión de lo visible a lo invisible, aunque por la dulzura de la vida terrestre nadie desea permanecer en el Hades.

La otra gran leyenda helena que relaciona Eros y Thanatos con el amor de pareja es la de los amores de Orfeo y Eurídice.[9] Según ella, un día Eurídice, ya casada con Orfeo, en el valle del río Peneo pisó una serpiente al tratar de huir de una violación por Aristeo, y la mordedura de la víbora la mató. Orfeo no se resignó a esta pérdida, por el Eros descendió al inframundo y con su música y sus cánticos logró seducir al barquero Caronte, al Cancerbero, los Jueces y al mismo Hades. Encantado el dios del Tártaro con su cánticos, le permitió rescatar el alma de Eurídice y llevarla de nuevo a Grecia, pero con la condición de que él no debía mirar hacia atrás hasta que estuvieran de nuevo bajo el sol. Eurídice le siguió por el pasadizo del Hades bajo los acordes de su lira, pero cuando Orfeo llegó el primero a un lugar en el que ya había luz solar se volvió para asegurarse de que ella continuaba y, entonces, la perdió para siempre.

---

9 Graves, Robert. Los mitos griegos. Volumen 1. Alianza Editorial. Madrid, 1985.

El mito de Orfeo y su viaje al inframundo para rescatar a Eurídice de la muerte simbolizan el hecho de que el Eros continúa actuando incluso más allá de Thanatos, que un amor integral de cuerpo y alma intenta incluso vencer a Thanatos.

Por consiguiente, para la mitología y para la versión popular helena, Thanatos, esa horrible e invisible figura, se halla incrustada en el ciclo de la vida de las criaturas, y su función es la opuesta a Eros. Thanatos no crea la vida sino que la destruye, pero no totalmente ya que siempre se otea la certidumbre de la supervivencia de la *psyché* en aquel reino.

LA COSMOLOGIA FILOSÓFICA DE EMPEDÓCLES

La filosofía de los presocráticos desarrolló todas estas tesis e ideas cosmológicas, de forma ya racional pero todavía despojándose lentamente del mito y, a veces, construyendo sobre el mismo. Centraremos nuestra atención en el primer presocrático que trató a fondo el tema del Eros. Nos referimos al filósofo y poeta Empédocles de Agrigento y a su escrito poético *Sobre la Naturaleza.*[10]

> En un tiempo lo Uno se acreció de la pluralidad y, en otro, del Uno nació por división la multiplicidad: fuego, agua, tierra y la altura inconmensurable del aire y, separada de ellos, el funesto Odio equilibrado por todas partes y, entre ellos el Eros, igual en extensión y anchura.

---

10 Kirk, G. S. y Raven, J. E. Los filósofos presocráticos. Ed. Gredos. Madrid, 1966.

Otros presocráticos anteriores habían tratado de encontrar el *arché,* es decir, el principio de toda Physis o Naturaleza. Y como sabemos, Tales de Mileto identificó el *arché* generador de todas las cosas con el agua; Anaxímenes, con el Aire; Heráclito, con el Fuego; Jenófanes, siguiendo a Hesíodo con Gea. Otro presocrático, Parménides de Elea, había propuesto incluso un principio mental abstracto: el Ente, que luego en el platonismo se traducirá en parte como el Ser. Empédocles va a presentar una primera síntesis de todas estas doctrinas, y va a exponer en sus escritos que si bien el principio de todas las cosas reside en los cuatro elementos (tierra, agua, fuego y aire) y sus mezclas, estos, por sí solos, no pueden dotar de dinamismo el cosmos; es necesario que, junto a estos cuatro elementos, aparezcan dos fuerzas energéticas, que serán el Eros y el Odio, o sea, la atracción o la concordia y la disrupción de la atracción, que es Discordia . Amor y Odio son las fuerzas esenciales del cosmos y de su creación. Todas las mezclas que tienden a la unión son obra de Eros; y las que luego se separan y se rechazan, de la Discordia o el Odio. Esta dialéctica entre el Eros y el Odio se extiende también a los ciclos cosmológicos e históricos. Hay edades en las que rige el Eros y otras en las que rige el Odio, tanto en elementos como en humanos. En cuanto a Grecia, Empédocles insiste en que se vive en la época de la discordia y el odio, pero que la época y el ciclo del Eros pueden retornar en un futuro próximo.

Interesante es el hecho de que, en un segundo poema, las «Purificaciones», bajo influencia pitagórica, Empédocles nos presenta por primera vez una teoría de la inmortalidad individual basada en la metempsicosis o reencarnación de las almas, en cuya dimensión el Eros permanece libre de Odio.

La filosofía de Empédocles puede también interpretarse en su teoría de los ciclos cósmicos, como la constatación que a nivel cósmico existe una conexión entre Eros, el productor de todas las criaturas, y Thanatos, el destructor, que en este caso sería representado por el Odio. Al igual que en la cultura egipcia, el amor es una fuerza primordial, pero por los avatares de la vida puede abandonar la sociedad y, en su lugar, que aparezca la muerte y el odio.

LA TEORÍA DEL EROS EN PLATÓN

La filosofía de Platón, a diferencia de la sofística, no trata de criticar y destruir la tradición mitológica y religiosa, sino que, partiendo de la antigua y arcaica tradición, la lleva a un terreno ideal y metafísico superior, que se demuestra inmune a los ataques dialécticos de la sofística.

Los sofistas, en general, predicaban una valoración meramente hedonista del Eros de pareja, y aseguraban que su único objetivo era el placer y el orgasmo.

En Platón, como en otros filósofos helenos, ya encontramos una diferenciación en el término *amor*. En griego, querer, tener afecto, se designa con el verbo «agapao», y en este contexto aparece el término «*agápē*», que significa amor, cariño y caridad, y también hace referencia a los banquetes populares y las dádivas de comida que se regalaban a los necesitados. *Agápē* se diferencia del Eros por ser un amor o afecto unidireccional orientado hacia la caridad, mientras que el segundo es un sentimiento pasional, erótico y con el componente sexual.

Platón trata el misterio del Eros en tres diálogos: el primero denominado el *Lisis,* se centra en la amistad, pero ya plantea el problema desde la tradición popular: ¿Quién ama realmente, el amante o el amado? Pues era esta la fórmula clásica de abordar la pregunta por el Eros en Grecia. Luego ofrece el *Simposio,* uno de sus más bellos diálogos, en el que Eros y los amantes, partiendo de la mitología, pasan a un proceso de iniciación que les conduce a la Idea de la Belleza. Por último, en el *Fedro,* el Eros es valorado desde la perspectiva del amor pasional de pareja que a nosotros, los modernos, nos interesa especialmente.

Dejando aparte el *Lisis,* resumiremos lo que Platón indica del Eros en el *Simposio.*

Por boca de Sócrates, Platón realiza el discurso en segunda persona. La verdadera autora, pues, del *Simposio* es una mujer, una sacerdotisa, ducha en el Eros. Es Diotima, oriunda de Mantinea, posiblemente una mujer helena histórica. Será lo femenino lo que nos enseñe a los humanos qué es realmente el Eros.

Diotima arranca del mito clásico, pero explica que hay que mejorarlo con una versión perdida. Expone que, ciertamente, Eros proviene de Afrodita, pero ella no es su madre; en el nacimiento de Afrodita fueron dos fuerzas siderales abstractas, Penia (o sea, la pobreza) y Poro (el recurso) las que engendraron el Eros. Por esta razón, Eros no es propiamente dicho una divinidad, sino un intermedio entre dioses y humanos, es un Genio, un Daimon. De su madre, Penia, hereda el Daimon, la pobreza, que duerme en cualquier sitio y cambia de ciudades; y por la herencia de su padre, el recurso, siempre posee ingenio y nuevas ideas, y ama lo bello. El Eros persigue las cosas bellas y, más exactamente, constituye la tendencia o el impulso a la procreación de la belleza, tanto según el cuerpo como según el alma *(psyché).* Y todo ese impulso va dirigido a hacer de lo mortal un ser inmortal a través de la creación y reproducción.

Pero, finalmente, Diotima expone la iniciación al Eros.[11]

> empezar por las cosas bellas de este mundo, teniendo como fin esta belleza en cuestión y, valiéndose de ellas como escalas, ir ascendiendo constantemente. Yendo de un solo cuerpo a dos y de dos a todos los cuerpos bellos y de los cuerpos bellos a las bellas normas de conducta, y de las normas de conducta a las bellas ciencias, hasta terminar partiendo de estas, en esa ciencia de antes, que no es ciencia de otra cosa sino de la belleza absoluta, y llegar a conocer, por último, lo que es la belleza en sí misma.

Según Diotima, pues, si uno quiere iniciarse en el Eros, debe empezar por fascinarse por la belleza de los cuerpos, luego la de los cuerpos amados, más tarde la belleza que existe en las cosas, por ejemplo, las leyes, luego las ciencias y las artes, luego la filosofía, y ascender espiritualmente hasta llegar a la Belleza en sí misma, que es eterna e inmortal y de la que dependen, de hecho, todas las cosas bellas, pues si no fuera así, las cosas y los amantes no existirían.

De esta forma, Platón ha realizado una nueva lectura del mito de Eros, pero extendiéndolo a la erótica no solo de los amantes, sino a la de la cosas, los proyectos, los objetivos y las ideas. El Eros no es una divinidad clásica, es un Genio intermedio, que además es energía pura, y es el origen de la magia, las mántica, las iniciaciones y todo lo que en el mundo se relaciona con lo invisible. Platón nos desvela aquí lo que persigue el Eros, este es siempre atraído por la belleza, se activa con la belleza primero de lo material, después de lo sentimental y, finalmente, de lo místico.

En el *Fedro,* Platón responde a la pregunta popular griega sobre el misterio del amor entre el amante y el amado, deci-

---

11 Platón. Simposio. Ed. Aguilar. Madrid, 1972.

diendo quién de los dos está más poseído por el Eros. Platón utiliza para ello la metáfora del espejo.[12]

> Queda este [amado] entonces enamorado, pero ignora de qué, y no sabe qué es lo que le pasa, ni puede explicarlo. Antes bien, como si se hubiera contagiado de una oftalmia de otro, no puede dar razón de su estado, y le pasa inadvertido que se está mirando en el amante como en un espejo.

El Eros es un sentimiento de atracción por la belleza de los amantes, un sentimiento noble que proyecta al amante sobre la amante o el amado, y cuando lo contempla se remite a él mismo, sucede que es bidireccional, que el amado también se contempla en la amada y su sentimiento le devuelve su misma imagen. La unión bidireccional de los amantes produce felicidad y éxtasis, pues ambos desean generar en la belleza del otro. Según Platón, pueden darse tres fenómenos en el amor pasional de pareja: el que los amantes se amen por valores espirituales, o de forma intermedia por valores corporales y sentimentales, y una forma menor, que se amen solo por el cuerpo físico, es decir, el Eros de las bajas pasiones sexuales.

En todos los casos, amado y amada, o amado y amado, o amada y amada, no se aman solamente por lo visible y terrenal, sino que en el fenómeno del Eros se oculta una dimensión religiosa. Esto es así si aceptamos una teoría de la inmortalidad de las almas y sus reencarnaciones. Amamos, indica Platón al Otro, no solo por su belleza de cuerpo y alma. Esta relación erótica (Platón introduce aquí la referencia al mito de las almas) se remonta a nuestra identidad

---

12 Platón. Fedro. Ed. Instituto de Estudios Políticos. Madrid, 1957.

astrológica y nuestra vida prenacimiento en el éter, que el filósofo ejemplifica con la estancia de las almas junto a los dioses en el cielo

REFLEXIÓN SOBRE PLATÓN

Con esta teoría del Eros, Platón ha desmontado la crítica de la sofística de ver en el Eros solo un deseo irracional y corporal cuyo único fin es el orgasmo y el placer de uno de los amantes. Al ser el Eros bidireccional, se acepta y se expone que tanto el amando como la amada o el amado aman simultáneamente. Por otro lado, ya en el *Simposio,* Platón es uno de los primeros pensadores que extiende el Eros a las cosas y los proyectos de vida y, por primera vez, nos explica que el Eros puede orientarse más allá de los mismos humanos como Eros de pareja.

Pero la aportación más innovadora es la de adjudicar al Eros pasional de pareja un carácter religioso o divino. De esta forma, Platón se mantiene en sintonía con la religión y mitología helena que valoraba el Eros como divinidad, pero esta vez con la teoría de una supervivencia *post mortem* de las almas la inmuniza contra la sofística, que pretendía destruir el carácter divino del Eros. Al mismo tiempo, gracias a la reencarnación, Platón sitúa el Eros en una dimensión que trasciende incluso a Thanatos.

En la modernidad, no obstante, ha habido dos malentendidos respecto a la teoría del Eros de Platón.

El primero atañe a la tesis de que Platón solo explica (al escribir amante y amado) el amor homosexual y lo hace en sentido moderno. Quien afirme esta tesis de forma taxativa no entiende la cultura clásica helena. Sabemos históricamente que la pederastia no ha de confundirse con la homosexualidad en Grecia. Dada la posición subalterna de la mujer en la sociedad griega y el carácter militar de aquella sociedad, era un fenómeno bastante extendido que, en algún periodo de su vida, gran parte de sus ciudadanos realizasen prácticas eróticas con el mismo sexo (y esto vale, asimismo, para el amor lésbico entre mujeres), y en especial que los jóvenes tuviesen un mentor o tutor de mayor edad con el que era posible llegar a veces a la actividad homosexual. Esto tan solo significaba que una parte relevante de la sociedad helena era bisexual, pero no homosexual en sentido moderno identitario, ya que el matrimonio de distinto género era el reconocido por la ley.

El segundo malentendido tiene que ver con una recepción prioritariamente cristiana de su teoría del Eros. El tema en la modernidad del conocido «amor platónico», que no implica ningún contacto corporal y sexual, es la prueba de ello. En la modernidad esta clase de amor es meramente ideal y mental, sin ningún contacto físico entre los amantes.

Habría que decir que el amor platónico nunca fue propuesto de esta forma por el mismo Platón, tal como entendemos hoy en día la frase «amor platónico». Ciertamente, Platón destaca que la forma más perfecta de amor es la espiritual y asexual, pero no condena al Eros intermedio, que incluye el momento sexual y corporal; lo que sí señala es la degradación del sentimiento erótico basado nada más en la sexualidad.

RESUMEN DEL EROS Y THANATOS
EN EL MUNDO ANTIGUO

Desde Egipto hasta Grecia, hemos visto que a nivel cultural y literario, y por supuesto mítico, el Eros *kalos* (bello Eros) ocupa un lugar central en sus culturas, y esto en tres direcciones.

Primero: el descubrimiento del Eros como principio cosmogónico, como una energía que mueve el mundo, al que están sujetas todas las criaturas. Constituye el motor principal de la vida y la supervivencia de todos los seres, por esta razón posee un carácter divino, generatriz.

Segundo: la atracción erótica hacia las cosas bellas, los proyectos y las misiones bellas, el Eros se extiende esta vez como energía fundamental unida al deseo hacia todos los objetos y todas las ideas que rodean a los humanos y que culminan en el arquetipo de la belleza.

Tercero: el Eros como Cupido, como conectador de la atracción pasional entre los amantes, un deseo y una atracción responsable de la tendencia de las parejas humanas a estar juntos y unirse, persiguiendo la belleza de cuerpos y almas para generar en su belleza nuevos individuos.

No hay que pasar por alto la conexión en Egipto y en Grecia entre la mántica y la magia y el Eros; no es casual. El mundo antiguo era consciente de que la atracción sobre los seres que desencadenaba el Eros no era solo algo mental; que la energía del Eros fuese cosmológica o humana respondía a lo que se denomina en Oriente el nivel etérico. Lo etérico describe la energía biopsíquica que pone en contacto de forma invisible los cuerpos. Esa energía sutil que es el puente entre las criaturas y que la tradición ocultista ha conocido siempre como mágica erótica.

Como vimos en el mito de Sísifo o en el viaje de Orfeo al inframundo, en lo referente al amor de pareja, a pesar de que

Thanatos también puede destruir ese Eros terrestre, las almas guardan recuerdo del mismo y su influjo se mantiene, incluso en el Hades.

EL MITO DE EROS Y PSYCHÉ

En la época posterior a Platón, en el helenismo y en los primeros años de Roma, se puso muy de moda una variante del mito de Eros, que a pesar de su carácter fantasioso también nos puede aportar elementos de interpretación sobre el Eros pasional de pareja. Me refiero al mito de Eros y Psyché en su matrimonio explicado al detalle por Apuleyo[13] en su obra *El asno de oro*. Este mito nos ha sido transmitido también en innumerables obres por el arte de la escultura y la pintura, en especial en las estatuas de Antonio Cánovas y el cuadro de François Gérard.

La historia es como sigue: en un reino lejano había unos reyes que tenían tres hijas. Una de ellas, Pysché, era la mujer más bella de la época, pero a causa de su extraordinaria belleza nadie se atrevía a desposarla. Su padre, el rey, estaba desconsolado ya que a pesar de su increíble belleza no había pretendientes para su boda.

La diosa Afrodita tuvo celos de la belleza de Psyché, y fraguó un complot. Imaginó desposarla con un monstruo horrible para aniquilarla como mujer. Entonces inspiró al rey, padre de Psyché, una consulta a un oráculo.

El oráculo de Apolo dictó que debía ser abandonada en lo alto de una roca atada, para que fuera entregada a un horrible pretendiente. Mientras tanto, Afrodita llamó a Eros, su rebelde

---

13 Apuleyo. El asno de oro. Ed. Gredos. Madrid, 1995.

hijo, para que, además, desencadenase el amor de Psyché por el monstruo cuando apareciese. Pero cuando ve a la doncella, Eros se rasga su propia piel con una de sus flechas y se enamora de ella. Así que la salva y la deposita en su palacio, pero durante el día desaparece, y solo por la noche aparece sin luz y la desposa. Psyché no sabe quién es su amante.

En la noche, a oscuras, Eros advierte a Psyché de que tiene un destino aciago y que no debe decir a nadie que ella está a salvo en un templo. Al final, Psyché le ruega que pueda hablar con sus hermanas. Y a regañadientes, Eros le da permiso, a sabiendas del riesgo que esto supone. Las hermanas acuden a la roca y luego al templo, y naturalmente sienten envidia de la vida paradisíaca en el jardín de Psyché, y trazan un plan para convencer a su hermana de que recupere su dignidad, ya que podría ser que ella compartiese lecho con un monstruo. Así, le dan un cuchillo y una lámpara para ver a su esposo por la noche; el cuchillo, para matarlo si se trata de un monstruo. Una noche, Psyché enciende la lámpara en el lecho y se queda asombrada cuando ve a Eros, dormido en toda su belleza. De la sorpresa deja caer el cuchillo y luego roza las flechas de Eros y se enamora locamente de su amante, pero la lámpara suelta algo de aceite y despierta a Eros, que recibe una gota en el hombro. Enfurecido, Eros abandona a Pysché y le dice que el hijo que esperan será un mero mortal.

Psyché cae en depresión por haber creído a sus hermanas, y volviendo al reino les cuenta vengativamente un ardid. Les dice que, ahora, Eros desea casarse con ellas. Las envidiosas hermanas caen en la trampa y van a la roca para ser desposadas por Eros, pero nadie viene y ambas mueren al caer de la montaña.

Envuelta en sufrimiento, Psyché decide peregrinar por el mundo para suicidarse, y pasa algunas aventuras, hasta que encuenta a Afrodita. Todavía furiosa con ella y con Eros, la diosa le impone cuatro tareas o pruebas que recuerdan los trabajos de Hércules.

Primero: una clasificación desmesurada de semillas campestres, imposible de realizar en un día por un ser humano, pero las hormigas al final le ayudan en la tarea.

Segundo: recolectar toda la lana de los carneros en un campo y pasar un impetuoso río, esto antes de la noche. Esta vez son los juncos los que ayudan a Psyché con sus consejos, y Psyché recoge la lanada dorada a tiempo.

Tercero: llenar una copa de cristal de agua de un río bravo e impetuoso sin orillas y lleno de monstruos. Aquí es Zeus mismo quien envía un águila para que ayude a Psyché y recoja el agua.

Cuarto: ir al Hades cruzando el Aqueronte para encontrar a Perséfone, que está sujeta a Hades, y recibir un cofre con un ungüento que luego debe llevar a Afrodita. Esta tarea parece sobrehumana. Frente a la inmensidad de esta tarea, Psyché decide suicidarse ascendiendo a una torre, pero es la torre la que le cuenta cómo debe burlar a Cancerbero y al barquero Caronte para entrar en el Hades. Finalmente, ya en el Hades, Perséfone le entrega el cofre secreto que no debe abrirse, pero Psyché lo abre de vuelta del Hades. Y en el cofre no hay nada pero el olor nauseabundo desmaya a Psyché a la salida del Tártaro. Entonces, acude Eros para ayudarla. Van juntos al Olimpo, y los dioses, con Zeus a la cabeza, certifican su matrimonio, con lo que incluso la misma Afrodita acepta su unión. Y su hija, Hedoné, será inmortal. La historia posee un *happy end*.

INTERPRETACIÓN DEL MITO

Para interpretar dicho mito nos orientaremos parcialmente a la interpretación clásica de la psicología de Carl Gustav Jung, en especial a R. A. Johnson,[14] pero difiriendo de algunas de sus tesis.

Debemos empezar por saber qué clase de simbolismo y arquetipos son Psyché y luego Eros en el mito expuesto. El mito expuesto no nos comunica, de hecho, el centro de una relación amorosa, sino que es un mito sobre el matrimonio por amor, sobre la relación esposo-esposa como amantes, que, además, se enmarca en la órbita de la ley Julia romana que en aquella época tomaba posición de castigo frente a los adulterios.

Por lo tanto, Pysché es mujer enamorada y amante, pero, al mismo tiempo, simboliza la esposa y sus vivencias, y Eros es el amor masculino aquí y no es tanto un dios como el amante esposo. Destacar que Pysché significa «alma» al mismo tiempo en griego, y eso apunta a que no solo hablamos de lo físico y sentimental sino que es un viaje a la psicología profunda femenina.

La narración se inicia con una mujer, Psyché, de extraordinaria belleza física, pero escasamente desarrollada anímicamente, y sucede que su belleza es excesiva, por lo que nadie se atreve a desposarla. Esto nos refleja el dualismo de la belleza femenina física: cuando esta belleza es exuberante, suele ser negativa para su portadora, es una constante universal, y a veces conduce a la tragedia (pensemos en Marylin Monroe o en Rita Hayworth).

Es decir, esta belleza atrae los celos de todas las otras mujeres que son simbolizadas por Afrodita, o también podemos decir,

---

14 Johnson, Robert A. Para comprender la piscología femenina. Ed. Era Naciente. Buenos Aires, 1996.

en palabras de Jung, que quien se aproxima demasiado al mismo arquetipo de la belleza se convierte en una maldición y la maldición se concreta en casarse con un amante horrible. Así, los padres de Pysché van a casar a su hija con un monstruo, que casi seguro es la desgracia para ella. La boda es, de hecho, un funeral, como escribe Apuleyo.

Y esto es así en la vida moderna y humana. Metafóricamente, se nos comunica, según la psicología de Jung, que todo matrimonio es un poco la muerte de la mujer que va a entregarse al hombre esposo. Toda mujer cuando se casa se somete a una potencia masculina y, por lo tanto, pierde gran parte de su autonomía frente al poder del ser masculino. Es cierto, hay excepciones, excepciones que confirman la regla.

Pero ahora ocurre la sorpresa en el simbolismo del mito. A pesar de que el arquetipo de la belleza destruye o puede destruir a la Psyché (al alma) si es demasiado hermosa, resulta que también puede suceder, en algún caso, que si porfía en el amor ella puede aproximarse al arquetipo masculino, al mismo Eros, y vivir una experiencia mística.

La trama del mito traducida a la modernidad nos indica que, por la monumental belleza, alguna vez esta puede atraer a un hombre monumental y arquetípico. El marido será, pues, un ser perfecto que también puede redimirla. Será Eros el Perceval, el que salva a Psyché de perecer por ser demasiado bella.

Pero hay un problema. Psyché es bella de cuerpo pero no de alma. Es una chiquilla atolondrada, influenciable por su familia.

Simbólicamente, el rol de las hermanas se corresponde con la familia en general y las amigas. Siempre hay amigas y familiares dispuestos a boicotear el matrimonio, y suelen conseguirlo. A pesar de las advertencias de su marido, ella sigue el plan nefasto de la familia.

En la escena nocturna de la lámpara, Psyché descubre el verdadero rostro y esencia de su marido. Esto, en la vida real, es una escena clásica: el momento en el que a la mujer bella casada se le desvela la verdadera identidad de un hombre que quizás antes no conocía bien. La sorpresa suele ser negativa, pero en la leyenda es positiva para Psyché; su marido no es un ladrón o un monstruo sino el mismísimo arquetipo masculino del Eros. Sin embargo, aquí se revela el problema de la inmadurez de Psyché. Ella ha hecho caso de su familia, lo que significa que su Yo todavía no se ha desarrollado. Ha seguido a pies juntillas el macabro plan de las hermanas. Y el esposo, Eros, contemplando su inmadurez, la abandona a su soledad. Gracias a este abandono, Psyché puede empezar a encontrarse a sí misma, dejar de ser chiquilla y convertirse en mujer.

En el mito, eso es simbolizado por la conversación con el arquetipo de Afrodita, la belleza. El diálogo es un conversar con ella misma, y gracias a este diálogo advierte que debe evolucionar como mujer asignándose los cuatro trabajos, y asimismo castigar a sus hermanas.

Por lo tanto, las tareas son pruebas de crecimiento personal que hacen que Pysché pase de chiquilla inexperta a mujer plena. Cada prueba (recoger semillas en la hierba, recoger lana dorada de carnero, recoger una copa de agua de manantial peligroso y viajes al inframundo para ver a Perséfone y traer quizás el secreto de la belleza) puede interpretarse como un crecimiento de madurez para la mujer. Las semillas tienen conexión de cómo gestionar las sexualidad; la lana del carnero dorado, o sea, del vellocino de oro, de cómo relacionarse con lo masculino; la recogida del agua primigenia en una copa simboliza el arte femenino de la mesura, de no ser arrastrada por la colosal fuerza de los deseos y de la vida. Pero la cuarta prueba es la decisiva en el desarrollo de su yo.

Desde Heracles, el viaje al inframundo es la máxima prueba o el máximo trabajo. Nunca antes una mujer había viajado al Tártaro. Eurídice, la mujer de Orfeo, intentó volver del Hades y no lo consiguió por un error de su amante. Psyché recibe conocimientos del viaje a través de la Torre, que implica la cultura de una sociedad. El simbolismo de la Torre nos transmite que solo una mujer culta con autocontrol puede afrontar una tarea peligrosa. Debe activar en esta prueba (en terminología de Jung) su «animus», es decir, su parte masculina. Para empezar, debe cuidarse mucho de la piedad gratuita, que suele ser engañosa. En el camino se le ha dicho que no muestre piedad ante escenas como la de un cadáver suplicante, o la de las mujeres suplicantes. Con esto activa su parte masculina, se aparta del falso victimismo. Para una gran tarea, uno debe estar al tanto del engaño. Luego debe distraer a Cancerbero, el monstruo guardián del inframundo. Lo hace a través de las tortas que ella ha guisado. Se apela a su poder femenino de nutrir la vida. En el Hades encuentra a Perséfone, la reina de la muerte durante seis meses y esposa de Hefestos o Plutón, el dios del inframundo. Por amor, Psyché se acerca peligrosamente a la muerte: Thanatos. Perséfone le da un cofre secreto. La diosa, empero, no le advierte sobre el problema de lo que contiene, solo le dice que ha de entregarlo a Afrodita.

Cuando sale del Hades, Psyché comete el error de la curiosidad femenina, piensa que en el cofre debe encontrarse algún ungüento que otorga la eternidad de la belleza. Psyché debía haber resistido la tentación del cofre, porque es evidentemente una trampa, pero su coquetería la pierde. El cofre está vacío, la belleza eterna no existe, pero el aroma del Hades hace que Psyché se desmaye.

Esta escena también nos sirve para la mujer en la modernidad. Muchas mujeres actuales son capaces de realizar un gran crecimiento personal, de ser cultas, de ser autónomas, de equilibrar su feminidad con valores masculinos que las potencian como grandes roles sociales. En un momento de su evolución, su misma esencia femenina le pone una trampa. Desean ser más atractivas y bellas, olvidan las lecciones pasadas o incluso caen en la cirugía estética. Estas mujeres no podrán concluir su crecimiento personal.

Cuando parece que Psyché no despierta, de repente sucede el milagro. Su esposo, Eros, viene al rescate para ayudarla y llevarla al Olimpo. El simbolismo de la salvación de Psyché por Eros, es decir, por amor puede tener dos interpretaciones. La primera consiste en aceptar que Eros, conmovido por los valores recién adquiridos de Psyché, la ayuda en este último obstáculo para garantizar su matrimonio, es el reconocimiento de que Eros ama a Psyché. La segunda interpretación reside en indicar que la vuelta de Eros no es lo principal, sino que la misma Psyché, gracias a su viaje al Hades, ha sido capaz incluso de superar este último obstáculo, al volver por sí misma a la conciencia. Lo que supone en psicología profunda que ella ha completado la activación de su «animus», de su parte masculina, lo que le ha dado el poder de transformar parte de su inconsciente en consciente.

En el Olimpo, Zeus restituye el matrimonio entre ambos, y la misma Afrodita acepta esta unión y su descendencia. Ambos, Eros y Psyché, han realizado evoluciones. Eros advierte, al fin, que Psyché no es una chica inexperta, sino que ha devenido una mujer con carácter que ha luchado por su amor y ha renunciado por este amor a su familia.

Y por otro lado, Psyché entiende las razones de Eros. Advierte el porqué de su abandono. El abandono no era por odio o rechazo, sino que Eros tenía sus poderosas razones, ella era una mujer que solo deseaba un matrimonio convencional, pero ahora sabe que lo que Eros tenía en mente era otra clase de amor mucho más superior, el amor no solo sexual o de la belleza corporal, sino el amor del alma y del carácter personal. La recompensa final de Psyché es la inmortalidad, ya que Zeus le da a beber de la ambrosía y deviene heroína divina junto al resto de los dioses.

RESUMEN DEL MITO

Volvamos al principio para una interpretación global. El mito expuesto se halla influenciado claramente por doctrinas neoplatónicas. Más allá de que la protagonista sea el arquetipo de la esposa amante, Pysché, como su nombre indica, es el alma femenina en sí misma, que posee la proyección de su ideal masculino perfecto; lo representa Eros como modelo. El alma ama la belleza no solo de los cuerpos sino de las otras almas, y persiguiendo la belleza vive el amor de pareja conscientemente, de que le abre la puerta para superar la misma muerte, ya que gracias al Eros vivirá eternamente en el cortejo de los dioses. El Eros pasional de pareja, en última instancia, posee una dimensión divina y religiosa.

Pero como hemos visto en la exposición, el simbolismo también puede aplicarse a la mujer esposa y al hombre esposo. Desde esta óptica, también la verdadera protagonista es Psyché, el alma femenina en su relación erótica con el hombre. La figura del esposo Eros se halla poco potenciada, el mito apunta básicamente a la evolución de la mujer esposa, y en ese contexto, Eros es, de hecho, la parte inconsciente masculina que toda mujer lleva en su imaginario. El mito nos narra un modelo de evolución para la mujer esposa. El manual de la esposa es, primero, el de emanciparse de las influencias de su familia; segundo, descubrir que la belleza corporal no va a ser suficiente para una relación estable, y tercero, que ante los conflictos pasionales del Eros ella debe evolucionar de chica tonta y bella, a mujer consciente cuya tarea fundamental es la de activar los elementos masculinos que lleva inconscientemente en su carácter. Esto requiere cultura, audacia, valor y mesura, requiere sabiduría. De esta forma va a descubrir la naturaleza arquetípica del amor pasional de pareja y, en definitiva, la salvación del matrimonio. Con este modelo, Psyché es más bella que la parte de Afrodita meramente sexual y bella, la Afrodita Pandemos, y se iguala a la espiritual Afrodita Urania. Psyché ha logrado aproximarse al máximo al ideal del Eros, al mismo arquetipo, sin sucumbir en el intento.

EROS Y THANATOS EN LA MITOLOGÍA HINDÚ

Sorprendentemente, en la mitología más antigua de todas las culturas, la de la religión del hinduismo, existe también la figura del Eros como arquero. Se trata del dios Kamadeva,[15] que proviene de *kama,* o sea, deseo sexual en sánscrito y *deva,* divinidad. Dicha divinidad, hijo de Brahma y situado también en los prolegómenos de la creación del mundo, aparece como un joven con arco y flechas montado sobre un loro, con la peculiaridad de que sus flechas están coronadas por exóticas y fragantes flores y la cuerda de su arco está hecha de cuerdas de abejas y miel, la dulce miel que embriaga los corazones de los amantes. Su compañera es la diosa Ratí que, normalmente, es identificada como la diosa del placer sexual.

---

15 Danielou, Alain. Dioses y mitos de la India. Ed. Atalanta. Barcelona, 2010.

El mito más conocido del Eros hindú es también el más significativo. Cuenta el mito que había una doncella llamada Parvati, que, enamorada del dios Shiva, deseaba su reciprocidad amorosa, pero Shiva, representado a menudo como un yogi, se hallaba sumido en su meditación. Un día Kamadeva, el arquero, decidió ayudar a Parvati, por lo que lanzó sus flechas a Shiva en plena meditación para interrumpirla y así fijar su atención en la belleza de Parvati. Pero Shiva, el destructor, al verse molestado se llenó de ira y, mirando a Kamadeva con su terrible tercer ojo, incendió su cuerpo y lo mató.

La desaparición del arquero del amor tuvo consecuencias catastróficas para el mundo. El cosmos se volvió frígido y la misma supervivencia de la raza humana podía peligrar. Ante este problema, un consejo de dioses influyó en Shiva, así como también la esposa de Kamadeva, Rati, le suplicó el perdón. Finalmente, Shiva resolvió resucitar a Kamadeva, pero esta vez solo como imagen mental y emocional, pero no física.

El simbolismo del mito nos traduce primero que Kamadeva es un negativo (o al revés, Eros lo es de Kamadeva) del Cupido heleno; solo se diferencian en que el hindú va montado en un loro, animal muy reproductivo, y en que es más el perfume de las flores que la misma flecha la que desencadena el amor de pareja. Por lo demás, son ambos traviesos y osados en sus actos y su poder es creacionista como el Eros heleno, incluso los dioses lo necesitan para existir. Pero su encuentro con Shiva, su muerte y su resurrección nos transmiten algo más. Apuntan a que su resurrección actual como entidad espiritual y mental alude a que en determinado momento histórico, la cultura hindú empezó a valorar la dimensión emocional y espiritual del amor de pareja por encima de la dimensión sexual que era más antigua.

En lo referente a Thanatos, el dios de la muerte en la mitología hindú es Iama, hijo del Sol o Vivasuat y de la diosa

Saraniú. De hecho, según la antigua tradición, fue el primer hombre en morir, por lo que los dioses le encomendaron la tarea de ser el conductor de las almas al inframundo, lo que le asemeja al Anubis egipcio, y cuidador de los perros manchados que al estilo Cerbero custodian la entrada al otro mundo. Posteriormente, en la época posvédica, aparece como Iamarash, el castigador y torturador de los finados que habita en el Iamaloka y que incluso juzga a los muertos. Sin embargo, la posible conexión de la muerte con Eros, o sea, Kamadeva, se establece con más claridad, como hemos visto en el mito con Shiva. La triada creacionista hindú, denominada Trimurti, se compone de tres dioses primordiales: Brahma el Creador; Vishnú el Preservador y Shiva el Destructor. No obstante, la destrucción que realiza Shiva es necesaria para el cosmos, es el que mantiene el ciclo de vida y muerte y es más bien una divinidad regeneradora. La tarea más oscura y más cercana a Thanatos, empero, la realiza su esposa, la terrible diosa Kali que curiosamente es una divinidad central en el tantrismo antiguo, pero entendida como madre primordial.

El objetivo del Tantra[16] consiste en la reintegración del ser humano en la pura conciencia ancestral, o sea, en Shiva. Para alcanzar esta meta los iniciados deben recorrer en el sentido inverso el sendero de la manifestación de lo creado. Y para ello se utiliza el Sakti, o sea, la energía etérica. Uno de entre los diversos caminos del Tantra para aproximarse a la conciencia universal es la sexualidad.

Existe, pues, en el hinduismo una conexión entre Eros y Thanatos a nivel cósmico de una forma más concisa que en la cultura helena, que se insinúa no solo en la destrucción de

---

16 Thubten Yeshe, L. Introducción al Tantra. Ediciones Dharma. Buenos Aires, 2014.

Kamadeva por Shiva, sino también por la conexión de Kali con el Tantra a través de la energía etérica de los chakras que ofrece la posibilidad de utilizar la energía en el amor de pareja tanto para la destrucción como para el camino hacia la plena conciencia.

CAPÍTULO SEGUNDO

EROS EN LA EDAD MEDIA
Y EL RENACIMIENTO

EROS Y *AGÁPĒ* EN EL CRISTIANISMO

Con el advenimiento de la era cristiana, en la literatura y el arte hay un cierto eclipse referente al Eros, en especial porque se afirma otra interpretación, más allá del helenismo de lo que sea el amor. Ese concepto es el «*agápē*» del Nuevo Evangelio, y el practicante es ahora Jesús.

En el Sermón de la Montaña, que expone el núcleo filosófico del cristianismo, aparece el famoso versículo 17[17], en el que Jesús, tras las bienaventuranzas, indica que él no ha venido para abolir la antigua ley, sino para perfeccionarla (pleroma de la ley) y, de esta forma, completarla y superarla. La pregunta aquí reza: ¿de qué forma Jesús va a perfeccionar la antigua ley de Moisés? Y la respuesta es que el «pleroma» de la ley se supera básicamente con amor, que en los textos griegos del Nuevo Testamento aparece como «*agápē*».

En los últimos versículos del Sermón de la Montaña, Jesús indica de forma práctica, con parábolas, cómo concretar el

---

17 La Biblia. Nuevo Testamento. Mateo 5. Vers. 17. Edición por Cipriano Valera. Madrid, 1936.

«*agápē*». Se trata de amar al prójimo, de tener compasión del mismo. En un primer momento, *agápē* significa un elevado sentimiento de entrega y actitud positiva que va de un sujeto a otro, sin esperar nada a cambio, sin esperar y exigir reciprocidad.

Por esta razón, los autores del evangelio utilizan el término heleno de «amor por caridad» o sea «*agápē*» porque denota un sentimiento libre de lo sexual.

En la época del helenismo y del imperio romano, «*agápē*» significa, asimismo, la comida o el banquete fraternal de los primeros cristianos, y precisamente de esta forma, o sea, *agápē* como banquete fraternal y comunitario, ha llegado hasta la modernidad.

«*Agápē*» es una entrega desinteresada. El «*agápē*» incluso se puede practicar en algún momento con los enemigos, no solo con los prójimos. Actuar con el «*agápē*», con amor hacia el prójimo con caridad, puede favorecer una reconciliación posterior. El cristianismo, al situar el amor en la dimensión del «*agápē*», difumina el Eros de pareja pasional y lleva el amor al terreno de la ética y la moral. El amor cristiano universal o «*agápē*» es un amor dirigido a un proyecto humanístico: el de tener compasión por el prójimo, lo que lo coloca fuera de la actividad sexual y erótica de pareja.

Según Platón, el Eros, que se extiende a todas las cosas, siempre es bidireccional, incluso si se trata no de una pareja sino de un proyecto. La persona ama un proyecto de vida, porque intuye que ese proyecto le dará felicidad posterior. Pero amar, por «*agápē*», con amor desinteresado no implica el retorno de ese amor, de la metáfora del espejo. Vivir la vida con el «*agápē*» implica una actitud espiritual elevada de autoconocimiento y autoestima, implica también conocer una teoría de la inmortalidad, de la esperanza[18] de que el Padre está en los cielos y juzga nuestros actos. El amor se funde totalmente con la trascendencia, y también en este caso el amor trasciende a Thanatos, o sea, la muerte.

En el momento en el que, en el Imperio Romano, por el edicto de Teodosio triunfa el «*agápē*» a nivel social, el Eros, la otra gran vertiente del amor, recula en su protagonismo social. El «*agápē*» lo inunda todo, y el amor pasional de pareja y sus iniciaciones que retenían el aspecto corporal y sexual pierden parte de su protagonismo social y literario. El cristianismo, que implica una filosofía de la moralidad personal y social, es la religión del «*agápē*», igual que el helenismo había sido la religión del erotismo.

El Eros pasional, pues, se halla bajo sospecha en la Edad Media a nivel cultural y de la autoridad competente. Aunque el amor pasional continúa por supuesto vigente socialmente en la humanidad por la necesidad de la reproducción, ya ha perdido su aroma espiritual y religioso, básicamente porque los valores «correctos» de la sociedad medieval han cambiado. Se sospecha que el Eros, ese travieso Cupido, es de hecho un pervertido; nada que tenga que ver con él puede ser espiritual y noble, el mero contacto con lo sexual lleva al repudio.

Esto queda históricamente expuesto en la ola de furia iconoclasta contra las esculturas de diosas y dioses realizada por los monjes cristianos, que mutilan de las estatuas del joven Eros sus genitales, para espiritualizarlo. El Eros ya no será *kalos,* es decir, bello, sino feo y peligroso. Los monjes cristianos, en su furor, no advierten una vez más que en todas las esculturas las flechas de Eros van en dirección al corazón humano y no a los genitales.

---

18 Destacar que en la tradición budista el amor espiritual por compasión no necesita de la existencia de Dios todopoderoso, se realizan acciones de compasión (Metta) por sí mismas.

EL AMOR GALANTE

La esfera del amor cristiano y sus valores, sin embargo, no destruyó el amor pasional de pareja, el Eros clásico, pero sí lo forzó en otra dirección. El mundo de la Edad Media impregnado de cristianismo, de ansias por destacar lo espiritual y condenar lo sexual, engendró un fenómeno sorprendente, que es conocido como el «amor de los trovadores», el amor cortés o Mine, el amor que se canta espiritualmente a una dama a menudo inalcanzable. Lo encontramos, por ejemplo, en las canciones del trovador Bernard de Ventadour.

En las cortes de la Alta Edad Media, en los castillos y los palacios, se iniciaron una serie de canciones y poesías que juglares y bardos cantaban a un amor pasional de pareja diferente del Eros heleno. Este amor se gestaba entre una dama de la corte, a menudo ya casada o prometida, y un caballero o un trovador noble que la hacía su dama espiritual. El caballero cantaba canciones a su dama, y la tenía en un pedestal de diosa, combatía por ella y estaba dispuesto a satisfacer sus deseos, menos la relación sexual. El amor cortés, pues, estaba lleno de virginidad y castidad, era un sentimiento como el Eros bidireccional, ya que la dama le correspondía, pero en el que se relegaba el momento corporal, en parte porque la dama era de alta alcurnia, estaba casada o era una reina. Muchas damas de alta nobleza, aparte de su marido, tenían a su trovador y caballero que adoraba su belleza mediante los poemas y las canciones. Esto dio lugar a toda una literatura, que en los siglos XI y XII incluso abrazó al ciclo artúrico. Los poemas de la leyenda de Tristán e Isolda son el mejor ejemplo de este Eros trágico e imposible.

El amor cortés, debido a su esencia estrictamente espiritual, a la fuerza tenía que producir algunas situaciones límite frente a la vida real. Históricamente, algún trovador cruzó la línea espiritual para adentrarse en lo corporal, esto lo tenemos refrendado en aquella historia de la muerte del trovador a manos del noble marido. Harto de sus amoríos galantes con respecto a su esposa que le correspondía, un conde, un día, secretamente, hizo cocinar el corazón del trovador ajusticiado bajo la apariencia de un corazón de venado, y se lo sirvió como manjar a su esposa, quien sin saberlo practicó antropofagia erótica.

He aquí un texto del *Parzival* de Wolfram von Eschenbach, del siglo XIII:

> Así, pues, desde el Grial se envía a los hombres en secreto y a las muchachas públicamente, para que se multipliquen, y mediante el servicio de sus hijos acrecienten las huestes del Grial. Dios les muestre el buen camino. Quien se ha decidido por el servicio al Grial debe renunciar al amor de las mujeres. Solo al rey le asiste el derecho de tener una mujer, que ha de ser pura... Yo transgredí este mandamiento y amé una mujer por su recompensa carnal amorosa.[19]

Ciertamente, en el *Perceval,* el objetivo principal del joven caballero es la búsqueda del Grial en el castillo Montsalvatge, donde habita el rey herido, Anfortas. Sin embargo, el relato está lleno de escenas de amor cortés con las diferentes damas que Perceval se encuentra en su camino hasta llegar a su amada Blancaflor.

En esta escena, el ermitaño Trevrizent, cuando le alecciona sobre el Grial y el camino hacia el castillo, le cuenta al joven caballero que la dedicación al Grial solo permite el amor galante y ocasional, puesto que el amor al Grial presupone el amor de Dios como principal objetivo.

---

19 Von Eschenvach, Wolfram. *Parzival.* Ed Siruela. Madrid, 2010.

EROS Y THANATOS EN EL AMOR GALANTE CRISTIANO

Existen numerosos romances de la Baja Edad Media donde podemos analizar el Eros galante. Uno de ellos se encuentra en el ciclo artúrico, en los amores entre Lancelot du Lac y la reina Ginebra esposa del rey Arturo, pero quizás el más emblemático se concreta en la leyenda de Tristán e Isolda, que en torno al siglo XII fue recopilado en alemán por el poeta Godofredo de Estrasburgo, y Richard Wagner en el siglo XIX lo difundió como ópera.

La leyenda[20] es como sigue: Tristán, que es un caballero noble que vive en la corte de Cornualles, en Tintagel, y es sobrino del rey Marcos, defiende el reino cuando guerreros de Irlanda al mando de Morholt piden tributo. Tristán vence en combate y mata al irlandés, pero sus heridas son muy graves y va a la deriva en un barco que arriba a Irlanda en su primer viaje. Allí es curado por la doncella Isolda, sin saber Tristán que Isolda es sobrina de Morholt. Curado vuelve a Cornualles, acepta la misión de volver de nuevo a Irlanda con el encargo de encontrar una reina para el rey Marcos que garantice la paz entre Cornualles e Irlanda. En el segundo viaje, ya en Irlanda, Tristán mata a un terrible dragón, pero, malherido, es cuidado de nuevo por Isolda, y esta vez descubre la bella doncella que él es el asesino de Morholt, su tío. Isolda está a punto de matar a Tristán convaleciente, pero al final, dado que él es intocable por haber vencido al dragón, el rey de Irlanda acepta, a pesar de la decepción de Isolda, que Tristán vuelva a Cornualles con ella para desposarse con el rey Marcos.

---

20 Bédier, Joseph. *La leyenda de Tristán e Isolda.* Ed. Acantilado. Barcelona, 2014.

En el viaje por mar, de vuelta, siguiendo las indicaciones de la hechicera Brangien, la dama de compañía de Isolda prepara una poción de amor para que Isolda y el rey Marcos obtengan una pasión que permita el matrimonio, pero el destino interviene y, por confusión, la poción es ingerida por Tristán e Isolda, con lo que la antigua atracción entre los jóvenes se convierte en amor pasional y pasan en el barco la noche juntos.

Una vez en Cornualles, Tristán, muy a su pesar, por honor entrega a Isolda al rey Marcos y se celebran los esponsales. Pero ambos no pueden renunciar a verse furtivamente y los barones de Tintagel exigen el castigo de los amantes. El rey Marcos condena a la hoguera a Tristán y luego Isolda, pero por azarosas circunstancias ambos escapan a su muerte y se refugian los dos en un bosque encantado en el que permanecen casi dos años. Dado que ahora Isolda es la reina desposada, evitan ambos el contacto sexual colocando la espada del héroe por la noche en el lecho.

Un día son descubiertos en el bosque por las huestes del rey Marcos y este, conmovido por el amor de los amantes, permite olvidar sus antiguas órdenes siempre que Isolda regrese a Tintagel y Tristán se exilie.

Tristán se marcha a Bretaña, y allí ayuda a salvar a un rey que se halla en lucha contra poderosos enemigos. Y se hace amigo de Kaherdin, el hijo del rey. Ambos triunfan en la guerra y llevan la paz al reino. Como recompensa, Kaherdin le ofrece la mano de su hermana, Isolda de las Manos Blancas, que se diferencia de Isolda la Rubia en casi todo. La segunda Isolda es una dama apacible, sumisa y cariñosa. Tristán se casa con ella, pero no consigue consumar el matrimonio en la noche de bodas y le pide a Isolda de las Manos Blancas que espere unos meses. Luego, Tristán se ve envuelto con Kaherdin en nuevas batallas en las que resulta herido de muerte, y agonizando le pide a Kaherdin que vaya a Cornualles y traiga a Isolda para verla por última vez. Isolda, que no ha olvidado a Tristán, navega hacia Bretaña, pero cuando llega Tristán ya ha expirado. Ante el cadáver de Tristán Isolda se niega a ingerir alimento y, poco después, muere.

En esta leyenda encontramos todos los tópicos del Eros cortés que antes hemos expuesto. Primero: el caballero y la dama no deben involucrarse sexualmente, su relación es altamente emocional y espiritual pero idealizada. Segundo: la relación erótica se establece fuera del matrimonio; de hecho, la dama estaba casada ya con otro noble o rey en un matrimonio dinástico. El caballero enamorado la adoraba, la servía y la convertía en el centro de sus aspiraciones, pero no podía tener una relación íntima con ella. Tercero: que su pasión fuera mantenida viva con furtivos encuentros o bailes cortesanos, de forma que su amor implicase celos y sufrimiento erótico constantes, pero que acabase siendo un amor altamente espiritual por motivos de honor y respeto por las reglas medievales cristianas.

Pero el desenlace de la leyenda nos muestra con exactitud la conexión entre Eros y Thanatos en el amor galante.

Durante toda la tragedia, tanto Tristán como Isolda la Rubia invocan a veces a la muerte para escapar de las tortuosas circunstancias en las que el destino y las reglas del honor medieval los han sumido. Dado que en lo terrenal el destino les niega la concreción de su amor, la invocación se halla teñida con la esperanza de que en la trascendencia puedan al fin encontrarse y realizarlo en esta última frontera. Esta aproximación final que culmina con la muerte real de los dos amantes es posible psicológicamente, porque ya que su amor es altamente noble y espiritual, es decir, arquetípico, podrán realizarlo solo en el reino del espíritu.

En otras palabras, aparte de los guiños del destino, el Eros cortés a veces desemboca en Thanatos por las rigurosas reglas morales de la caballería, inspiradas en el cristianismo cátaro.

EL RENACIMIENTO Y EROS

Se denomina con el término Renacimiento la época que clausura la Edad Media y que inicialmente apareció en Italia pero que luego se extendió por toda Europa. Era lógico que se comenzase en las antiguos ciudades-estado italianas porque precisamente en esta península se hallaban los restos y vestigios de la antigua cultura grecorromana. En un principio, el Renacimiento se gesta a través del arte, es decir, de la admiración de los artistas por la belleza de las antiguas obras helenas, en especial por el redescubrimiento del Eros *kalos,* es decir, del bello Eros. El torso de Hércules, una estatua de Apolo, y otras muchas estatuas desenterradas en Roma son colocadas por el Papa Julio II en el palacio de Belvedere. Los habitantes de Roma y los viajeros de la época ven las primeras esculturas helenas en un pórtico que ellos denominan Cortile delle Statue.[21] La impresión que aquel arte libre de represiones corporales produce en los espíritus cristianos que emergen de la Edad Media es inimaginable; de hecho, en esta Cortile delle Statue comienza el Renacimiento.

Posteriormente, los renacentistas se inspiran en la literatura, la poesía y la filosofía grecorromana, y a través de poetas como Dante o Petrarca se editan nuevas obras en las cuales resurge el

---

21 Geese, Uwe. Antike als Programm. Liebighaus Programm. Frankfurt am Main, 1977.

Eros pasional de pareja . Tras el *intermezzo* de la Edad Media, la misma mujer como amada es reivindicada. Beatriz y Laura, las musas de Dante y Petrarca, respectivamente, nos introducen de nuevo en el mundo del amor erótico.

El Renacimiento no pretende rechazar los valores cristianos medievales, pero sí trata de realizar una síntesis entre cristianismo y helenismo para salvar la belleza y la sexualidad, de forma que la cultura humana se reconcilie con la Naturaleza. La pintura que mejor sintetiza dicho programa la encontramos en la Capilla Sixtina, en la cual Miguel Ángel creó la imagen de Cristo en el Juicio final que aparece con la figura y el torso del héroe antiguo Hércules.

SHAKESPEARE Y ROMEO Y JULIETA

En lo referente al Eros, sin embargo, será un autor británico, William Shakespeare, quien vaya a transmitir a la posteridad la fascinación por el amor pasional de carácter integral. La obra carismática será *La mayor excelente y lamentable tragedia de Romeo y Julieta.*[22]

No creamos que la historia de Romeo y Julieta es una mera ficción literaria. Shakespeare se basa en una historia verdadera con algunas variaciones desarrolladas por el poeta inglés en función del dramatismo de la obra, aunque respetando lo central de la misma. Los desafortunados amores de aquellos amantes se transmiten a la posteridad, en primer lugar, por el escrito (1535) de Luigi Da Porto, quien había escuchado esta

---

22 Shakespeare, William. *The most excellent and lamentable tragedie of Romeo and Juliet.* London, 1597.

historia de amor del siglo XII en Verona. Luego es Pedro de Boisteau quien reescribe la tragedia y, finalmente, pasa a Gran Bretaña ya en pleno Renacimiento a través del poeta inglés Arthur Brooke, que, posiblemente, fue la fuente de inspiración de Shakespeare, que como obra de teatro la representa y publica a finales del siglo XVI.

La obra se escenifica a través de la rivalidad y el odio entre dos familias del Trechento italiano, los Capuleto y los Montesco, del que surge por casualidad el amor pasional entre Julieta y Romeo, que pertenecen a estas dos familias. Tocados por el Eros, se casan en secreto por la complicidad de Fray Lorenzo, pero sus planes posteriores se desmoronan cuando Romeo mata al primo de Julieta, el joven Tybal, como venganza por la muerte de su amigo Mercucio. Romeo es condenado por el Príncipe de Verona al exilio en Mantua, pero la familia Capuleto, sin saber nada de la boda previa, insta a Julieta a desposarse con el conde París, un matrimonio de alcurnia. Es entonces cuando Fray Lorenzo, para salvar a los amantes, concibe un nefasto plan que consiste en que Julieta ingiera una poción que produce la muerte aparente para eludir el matrimonio impuesto, para luego irse con Romeo en secreto. Pero el plan falla porque Romeo no ha recibido a tiempo el aviso en Mantua. En un escenario fúnebre del Panteón de los Capuleto, en Verona, Romeo, al creer que Julieta está muerta, se inmola frente el catafalco y Julieta, cuando despierta, se quita la vida con el puñal de Romeo. El final de la tragedia presenta la reconciliación de Capuletos y Montescos delante de los cadáveres de los infortunados amantes.

He aquí el encuentro entre los dos amantes en la famosa escena del balcón:[23]

---

23 Shakespeare, William. *Romeo y Julieta*. Alianza Editorial. Madrid, 2008.

Julieta.—¿Quién te ha guiado hasta aquí?

Romeo.—El amor [Eros] que a inquirir me impulsó el primero, él me prestó su inteligencia y yo le presté mis ojos. No entiendo de rumbos, pero aunque estuvieses tan distante como esa extensa playa que baña el más remoto Océano, me aventuraría en pos de semejante joya.

Julieta.—...Caro Romeo, ¿me amas tú? Si me amas declararlo lealmente y si es que en tu sentir me he vendido con tanta ligereza, pondré un rostro severo, mostraré crueldad y te diré no, para que me hagas la corte... Créeme, bello Montagüe [Montesco], mi pasión es extrema y por esta razón te puedo aparecer de ligera conducta, pero fía en mí, hidalgo.

Tras la era del amor galante, es una de las primeras veces que aparece en la literatura el amor pasional mundano entre meros jóvenes. Su importancia reside en que Shakespeare presenta por primera vez el torrente de sensaciones y emociones de un Eros que no es meramente sexual ni meramente ideal, sino integral, y que triunfa incluso más allá de Thanatos. Tanto Romeo como Julieta no se suicidan en sentido estricto. El suicidio consciente y reflexivo de los amantes será cosa del Romanticismo. Tanto Romeo como Julieta se inmolan porque su amante y amada ya no pueden completar la relación en la tierra, su sacrificio al altar del Eros es producto de una serie de nefastas carambolas y guiños del destino, pero solo dimiten de la vida por la ausencia del otro, por la irrepetibilidad de su amor. El mensaje de Shakespeare al espectador de la obra es que el Eros no solo vence con la reconciliación de sus familias los conflictos y el odio de los humanos, sino que un Eros integral y verdadero como el de Romeo y Julieta une a los amantes en espíritu más allá de la misma muerte. Por su ejemplo, en superar todos los obstáculos que se interponen entre ellos, su amor será infinito y vivirá en el recuerdo cultural de todos los amantes futuros. Y si creemos que esto es una exageración solo tenemos que recordar las cientos de cartas y miles de visitantes que todavía hoy recibe la casa de Julieta en Verona.

CAPÍTULO TERCERO

EROS Y EL ROMANTICISMO

Cuando aparece el movimiento romántico Europa y América, todavía se hallan dominada la moral y las costumbres por los valores cristianos clásicos, así como el matrimonio, refrendado por la Iglesia. Junto al catolicismo romano y el cristianismo evangélico protestante, medran valores cristianos dogmáticos en el Viejo y Nuevo Mundo, como el calvinismo y el puritanismo, por citar solo algunos. Frente al cristianismo y sus valores, en el siglo XVIII, nos encontramos ya con la oposición de un nuevo movimiento cultural que es la Ilustración. Pero la Ilustración no pone el foco en el Eros, más bien por su mercantilismo admite que el amor de pareja está más seguro con una relación versallesca y, sobre todo, refrendado por un matrimonio de interés social y económico.

A finales del XVIII y luego en el siglo XIX, Prerromanticismo y Romanticismo darán una serie de pensadores, artistas, escritores y poetas que, siguiendo la senda de Shakespeare, van a renovar el impulso de Eros. En el mundo anglosajón, desde luego Lord Byron, Shelley, Keats y Wordsworth, y en el mundo germano, Goethe y Schiller como prerrománticos del Sturm und Drang, y luego Hölderlrin, Novalis, Schlegel, Hoffman, Von Kleist y Heine. En el mundo hispano, la nostalgia del Eros se concreta en la poesía de Bécquer, Espronceda y Zorrilla. En Francia, encontramos a Lamartine y las obras de Victor Hugo así como los relatos de Gautier. En Italia, autores y poetas como Leopardi, Manzoni y la poesía de Giusti. Y en Estados Unidos, poetas como Poe y Longfellow, sin olvidar al ruso Pushkin y su seguidores eslavos.

En las poesías y novelas románticas se reivindica básicamente el amor pasional de pareja, o sea, la relevancia de los sentimientos y del inconsciente, frente a la razón y la racionalidad. Al mismo tiempo, se destaca la prioridad de la Naturaleza con respecto a lo urbano e industrial, oponiendo la visión intuitiva de lo natural a la misma ciencia positivista. Se recuperan los aspectos no solo religiosos de la vida, sino incluso los fenómenos paranormales. La literatura se llena de gnomos y hadas, de vampiros y fantasmas. La mirada romántica se orienta hacia el pasado, hacia las ruinas medievales de los castillos y los monumentos de Roma y Grecia. La vida romántica parte de la prioridad del Yo existencial frente a las convenciones y prohibiciones sociales. Pero el gran protagonista del Romanticismo es el Eros pasional de pareja. Ningún otro movimiento artístico o social ha analizado y expuesto tan a fondo la gama de emociones y sensaciones que el ser humano experimenta al enamorarse. El amor se platoniza, vuelve a ser tras la era ilustrada un sentimiento elevado, onírico, cuasi místico, lleno de sensaciones encontradas que idealizan lo femenino y devuelven a la mujer el estatus antiguo de diosa. La música y la poesía románticas describen cómo los amantes se entregan, tienen celos, se desesperan, se reconocen noblemente, sufren mutuamente para defender su amor y se sacrifican por la felicidad del otro. Pero el común denominador es la extrema felicidad y las experiencias extáticas que experimentan cuando el Eros les alcanza con sus flechas. El elemento de Thanatos, de la muerte de los amantes, está muy presente en las producciones románticas, por supuesto no en el sentido de venganza o como resultado de desprecio, sino como túnel de salida si el amor es por determinadas circunstancias imposible. En el Romanticismo, el momento Thanatos suele aparecer como suicidio de algún amante o de ambos, lo que de nuevo remite indirectamente a Platón y a la esperanza de los amantes de que el amor *post mortem* les conceda entrar en una dimensión trascendente.

GOETHE Y EL WERTHER

Quizás el amor pasional romántico lo podamos sintetizar a través de su manifiesto original, que sin lugar a dudas fue el *Werther*[24] de Johann Wolfgang Goethe.

Fue el Prerromanticismo alemán el que inauguró el retorno de Eros. Y fue Goethe el que escribió en la segunda mitad del siglo XVIII, en 1774, una novela frente a los valores del cristianismo y la Ilustración, que se denominó *Las desventuras del joven Werther*, de enorme éxito editorial. La novela es parcialmente autobiográfica, describe los sentimientos del joven Goethe en la ciudad de Wetzlar respecto a una mujer prometida y más tarde casada con Kestner, pareja que eran amigos íntimos de Goethe, amistad que el poeta tuvo que abandonar por las tensiones eróticas entre este triángulo.

El *Werther* es, ante todo, una historia trágica de amor de pareja, basada en un triángulo entre el protagonista, Werther; la amada, Lotte, y su marido, Albert, cuyo objetivo oculto más allá de la

---

24 Goethe, Johann Wolfgang. *Las desventuras del joven Werther.* Cátedra. Madrid, 1998.

trama es el de denunciar la represión y la falta de libertad de la sociedad del Ancien Régime respecto al amor pasional de pareja. La novela es un canto al amor libre (por supuesto, no en el sentido moderno de sexualidad) y una crítica al matrimonio por convención y sin amor real, que era practicado por motivos económicos en la mayoría de las familias en aquella época, y por extensión contra el amor versallesco basado en las reglas sociales. En la época en la que la Revolución Francesa iba a estallar rompiendo las antiguas reglas, la juventud estaba ya dispuesta a aceptar el canto de libertad del *Werther*, y eso explica su triunfo comercial acaparador. Se leía el *Werther* en las fiestas de sociedad como elemento contracultural, los jóvenes iban vestidos con el traje *Werther* antes de su suicidio, las mujeres se declaraban seguidoras de Lotte o enfurecidas críticas de su comportamiento. Los sermones en las iglesias clamaban contra las frases panteístas de la novela.

El mismo Napoleón, cuando invadió Alemania, hizo llamar a Monsieur Goethe a su tienda de campaña, para discutir con él el argumento de la novela y proponerle (ante un Goethe estupefacto) modificaciones que sortearan la tragedia final.

A primera vista, el *Werther* es la primera obra que va más allá y cancela la época del amor cortés como relación pasional de pareja. El argumento de la obra se basa en el descubrimiento por parte del protagonista de un amor de pareja pasional respecto a una mujer casada. Exactamente, el mismo escenario que en los cantos del amor galante. Sin embargo, Werther ya no se limitará al estilo de los trovadores a ensalzar la belleza de la dama en una sublimación espiritual, sino que pretende con los recursos de un hombre libre conquistar realmente a Lotte.

Werther le presenta a Lotte sus sentimientos pasionales, para ir enmarañando a la esposa en su propuesta. Cuando al final, debido a las fuertes convenciones de la sociedad ilustrada, y al miedo de su amada, el amor pasional se revela como imposible, Werther opta por el suicidio meditado y consciente. Ciertamente, Goethe nunca pensó en el suicidio por amor, la muerte del amante le fue inspirado por el suicidio de un amigo, Jerusalem, quien murió precisamente por amor pasional.

He aquí momentos pasionales del *Werther:*

> En plena desesperación se arrojó Werther a los pies de Lotte, tomó su mano, la estrechó contra sus ojos, contra su frente, y a ella le pareció pasarle por su alma el presentimiento de su horrible propósito. Sus sentidos se turbaron, estrechó ella las manos de Werther, las oprimió contra su pecho, se inclinó hacia él en un arranque de nostalgia y sus ardientes mejillas se rozaron. El mundo desapareció para ellos. Werther la estrechó entre sus brazos, la apretó contra su pecho y cubrió sus temblorosos y balbuceantes labios con sus ardientes besos.
>
> —¡Werther! —exclamó ella con voz ahogada y apartándose de él.
>
> —¡Werther! —Y con su mano débil intentaba separar su pecho del suyo.
>
> El no pusó resistencia, la dejó separarse de sus brazos y se arrojó como ebrio a sus pies.
>
> Ella se apartó de él y, en angustiosa confusión, vacilando entre el amor y la cólera, dijo: «¡Esta es la última vez, Werther!».
>
> —Y qué me importa que Albert sea tu esposo. ¿Esposo? Eso lo será para este mundo, y para este mundo será pecado. Que yo te ame, que yo quiera arrancarte de sus brazos para estrecharte en los míos. ¿Pecado? Sea, yo me impongo la condena, lo he saboreado en toda su celestial delicia, ese pecado fue bálsamo de vida y fuerza para mi corazón.[25]

---

25 Goethe, Johann Wolfgang. *Las desventuras del joven Werther.* Cátedra. Madrid, 1998, página 172.

En el *Werther* encontramos toda la gama de temas románticos. La Naturaleza como fuente de curación de los males del ser humano y paradigma estético. La crítica a las convenciones sociales que ahogan al individuo. La fascinación por las antiguas sagas medievales y por el mundo antiguo. La afirmación de los sentimientos frente a la lógica de la razón. El tránsito entre lo consciente y lo inconsciente junto a la interpretación de la actividad onírica. La crítica a la religión cristiana convencional invocando elementos panteístas. Pero, sin lugar a dudas, es el Eros pasional y sus vicisitudes el argumento central de la novela, que además es epistolar.

Goethe nos da una lección de análisis de los sentimientos del Eros pasional: la euforia, el misticismo erótico, la bidireccionalidad del amor, la imaginación de los amantes, la ternura y la compasión, la entrega hacia la amada, los celos y el desengaño, y las proyecciones de bizarras fantasías.

Lo interesante de la novela es el hecho de la personalidad de Werther en sí misma. El amante actúa siempre con la totalidad de su carácter, no oculta ni esconde nada y esto nos conduce a descubrir la espiritualidad y existencialidad del protagonista. Siempre penetrando en temas existenciales, Werther busca su identidad, su destino, y se hace extrañas preguntas sobre la muerte. A su lado, la personalidad de los otros hombres ilustrados, enfrascados en sus protocolos versallescos y en sus opiniones razonables y lógicas, pero atrapadas en las convenciones sociales y económicas de su época, son tediosas, aburridas y falsas.

Ya en su época, el *Werther* sufrió muchas críticas por proponer el suicidio como una de las posibles salidas al amor pasional ahogado por la convención social. Leyendo atentamente los decisivos últimos capítulos se advierte que la nostalgia de la próxima muerte, el suicidio, no es un acto irracional, sino una decisión tomada con toda conciencia y reflexión. Ante su pasión, que era correspondida pero no aceptada debido a las convenciones, el amante no opta por profundizar en una relación que conduciría a la amada a la desgracia, ni opta por volver su furor hacia el marido que no la hace feliz, ni tan siquiera pretende la vieja estrategia amorosa, de convertir su amor en platonismo asexual a distancia, o sea, volver al amor cortés. Werther-Goethe se decide por el suicidio literario con la esperanza de que la sociedad del Ancien Régime entienda que el matrimonio convencional-burgués para la nueva juventud europea ha periclitado. Goethe pretende que el público comprenda que, con ese grito existencial que aterra al lector, la era de la libertad de los individuos en el Eros ha comenzado.

SCHILLER SOBRE EL AMOR FILOSÓFICO

Tras el *Werther,* en la atmósfera cultural de la Alemania de finales del siglo XVIII, la senda del Eros pasional de pareja tomó un gran impulso poético, literario y filosófico. El amigo de Goethe, Schiller, durante su estancia en Manheim (1784), escribió una obra de teatro denominada *Kabale y Liebe*[26] (Cábalas y amor) en la que se contaban las desventuras de dos amantes, Ferdinand y Luisa, frente a las maquinaciones del matrimonio no solo burgués sino aristocrático-político, y que también termina en tragedia para los dos amantes. Al igual que con el teatro de Shakespeare, el público que asiste a esta obra vive un mar de emociones y lloros por el Eros de los amantes. Por pri-

---

26 Schiller, Friedrich. *Werke in drei Bänden. Kabale und Liebe.* Ed. Carl Hanser. München, 1980.

mera vez en la era de la razón y las convenciones, amplias capas de la burguesía descubren la relevancia de los sentimientos y su defensa.

El poeta Novalis, fascinado por la joven amada Sophie y su prematura muerte, va a escribir los *Himnos de la noche,*[27] poesías únicas en su género que trasladan al lector casi a una relación mística *post mortem.* Hölderlin, del que nos ocuparemos en detalle a continuación, escribe una novela epistolar filosófica, denominada *Hiperión,* cuyo argumento literario se basa en el descubrimiento del Eros a través de una bella joven helena cuya personalidad le descubre su propia identidad.

Después, ya en pleno Romanticismo, el escritor y filósofo Schlegel publicará su novela autobiográfica *Lucinde,*[28] por cierto, inacabada, en la que el tema central es el amor en el matrimonio no convencional. Por primera vez se defiende la tesis de que el matrimonio burgués y el amor verdadero y pasional (con inclusión de la sexualidad) deben y pueden coincidir; todo depende de la evolución del carácter de los amantes. Schlegel hace una ardorosa defensa del impulso erótico como fuerza motriz del mundo y señala que es el único sentimiento que es capaz de unir dos principios antagónicos: inmediatez y reflexión.

De esta forma, el Eros, a principios del siglo XIX, devino incluso tema filosófico, y fue revalorizado por el idealismo alemán. El pionero fue de nuevo Schiller.

Schiller fue el primer crítico, aunque moderado, de la filosofía de Immanuel Kant. En este tema, Kant, como buen ilustrado, poco antes había desterrado todo sentimiento del

27 Novalis. *Himnos de la noche.* Cátedra. Madrid, 1998.

28 Schlegel, Friedrich. *Lucinde.* Ed. Reclam, 1982.

mundo de la moral. El amor, o sea, en alemán, «Liebe»,[29] era un sentimiento patológico inútil para la recta razón moral e intelectual. Del mismo no era esperable ninguna ayuda para fundamentar una teoría de la moral, solo la razón podía hacerlo aplicando lo que él denominaba el «imperativo categórico». La crítica iba dirigida más bien contra el «*agápē*» cristiano, pero alcanzaba el amor como sentimiento global.

Schiller, como prerromántico, detestaba este rechazo del amor. Aceptó de Kant que muchas de nuestras acciones éticas se deben basar en el respeto por la ley moral universal, por el imperativo de la dignidad, y aquí en el ámbito de la moral el amor era prescindible, pero en muchas otras acciones morales, según Schiller, las podíamos hacer por el móvil de la gracia y el donaire, es decir, las podíamos realizar basadas en el amor. O dicho en otras palabras: todos vivimos bajo el imperio de leyes y normas éticas y sociales creadas bajo la razón colectiva de los pueblos, pero podemos elegir, no en todos pero en muchos casos, cumplirlas como súbditos bajo obligación y represión de la ley, o como hombres libres que también aman su responsabilidad individual a través del sentimiento del amor a estas normas. Es perfectamente posible, asegura Schiller, cumplir con una regla, no porque debamos doblegarnos a sus rigores, sino por propia iniciativa personal, con actitud estética, una vez hayamos entendido las razones de dicha regla, incluso si deseamos modificarla. La aceptamos no porque nos haya sido impuesta, sino porque sentimentalmente el amor noble se halla en juego.

Contra Kant, Schiller puede afirmar que ética y amor no están reñidos. El amor es un sentimiento elevado, libre, que

---

29 Kant, Immanuel. *Kritik der Praktischen Vernunft*. Ed. F. Meiner. Hamburg, 1988.

mana de nuestra naturaleza divina y que en muchas ocasiones es el motor de una decisión ética.

Sin embargo, Schiller avisa de un peligro que posee el amor cuando se halla centrado en el amor de pareja pasional.[30]

El amor como Eros tiene un problema con su duración, y a la larga se halla expuesto a una decepción o a un equívoco. Mientras el sentido interno exalta al sentido externo, la fascinación de un amante por el otro es constante y real. Pero tan pronto como el sentido interno ya no provee al sentido exterior sus intuiciones y percepciones, entonces el sentido externo exige lo que le pertenece, o sea, la materia. Entonces se apaga el impulso fascinativo y a menudo el sentido externo o natural exige que se reponga todo el tiempo y la materia que le ha sido escamoteada.

Dicho en otras palabras: la intuición espiritual y cuasirreligiosa del Eros es limitada en su duración, el amor pasional de pareja es una sensación formidable, divina, pero es finita, sus cualidades son limitadas en el tiempo, y si le falta el elemento corporal, además, su entusiasmo es limitado.

NEOPLATONISMO Y EROS
EN LA NOVELA HIPERIÓN DE FRIEDRICH HÖLDERLIN

La culminación de la filosofía en cuanto al misterio del Eros pasional fue realizada por el poeta y filósofo alemán Friedrich Hölderlin. La relevancia de Hölderlin como filósofo parte de su asistencia a las clases del filósofo Fichte, en Jena, y en la

---

30 Schiller, Friedrich. *Sobre la gracia y la dignidad.* Ed. Anthropos. Barcelona, 1990.

influencia de su pensamiento sobre su amigo Hegel. Tanto en sus poesías como en su novela epistolar *Hiperión*[31], de 1799, Hölderlin nos ofrece con una prosa inspirada en los poetas clásicos helenos no solo un elenco de los sentimientos de relación entre amantes, sino que, al mismo tiempo, nos presenta una teoría filosófica sobre el Eros y la Belleza, que desde los tiempos de Platón no había evolucionado. Hölderlin, discípulo directo de Schiller y Goethe, se inspira en el *Simposio* y en el *Fedro* de Platón (adopta el nombre de Diotima para su protagonista femenina), pero a la vez se orienta al neoplatonismo de la época, en especial, Shaftesbury y Ossian, y a los escritos de Spinoza.

Al igual que sucede con el *Werther* y las vivencias de Goethe, en el trasfondo de la novela *Hiperión* subyacen las experiencias reales con el amor pasional de Hölderlin. En los años de la novela, cuando Hölderlin se hallaba en Frankfurt am Main, estuvo como preceptor de los hijos del matrimonio Gontard. El marido era uno de los acaudalados banqueros de la ciudad y su mujer, Susette, se había adentrado en un matrimonio por conveniencia. Al poco tiempo, surgió un pasional idilio amoroso entre el poeta y Susette, que pronto desencadenó el despido de Hölderlin y su huida a la localidad de Bad Homburg. No obstante, la relación pasional entre ambos continuó a distancia en esta ciudad a pocos kilómetros de Frankfurt y, finalmente, terminó con la muerte de Susette por enfermedad.

---

31 Hölderlin. *Sämtliche Werke. F. Hyperion.* Kohlhammer. Stuttgart, 1958.

TEORÍA DEL EROS Y LA BELLEZA

Para entender la teoría filosófica del amor en Hölderlin, hay que exponer previamente su teoría metafísica global.

Hölderlin afirma que el ser humano, tanto a nivel colectivo en tiempos remotos como ser ancestral, como a nivel individual con su nacimiento, parte de una Unidad con la Naturaleza, una unidad que antaño implicaba ausencia de oposiciones y contradicciones. Implica concordia y paz. Esa unidad ancestral la define Hölderlin como «Hen kai Pan», es decir, como estar conectado desde el Uno con el Todo. Con la aparición de la conciencia, el ser humano penetra en una órbita excéntrica; empiezan las oposiciones y contradicciones, los conflictos y las guerras, o sea, entra en una nueva era que cancela la concordia.

Esta salida del ser humano de la Naturaleza primigenia fue necesaria, ya que la concordia original no había sido obra suya, se le entregó externamente, pero le quedó para siempre la nostalgia de edificarla por sí mismo, ahora conscientemente. Esto explica que, según Hölderlin, el impulso fundamental existencial del ser humano sea precisamente el de tratar siempre de superar las oposiciones y contradicciones en las que vive en la modernidad. El ser humano no es feliz viviendo entre contradicciones, aspira siempre a unificarlas. Este es el gran impulso de la humanidad, recuperar el «Hen kai Pan», aunque, a veces, el ser humano sea inconsciente de ello.

La unificación de las contradicciones y oposiciones parece no ser posible en el planeta; sin embargo, resulta que hay un sentimiento en la tierra que permite al menos vislumbrar este fenómeno. Este sentimiento es el Eros pasional de pareja que se orienta hacia la idea de Belleza. A través del amor y la estética, le es posible por primera vez al ser humano sentir y vivenciar qué significa la unificación de las oposiciones y contradicciones. Se consigue, aunque de forma fugaz, sentir una sensación de conexión con la Totalidad, que incluso trasciende a ambos amantes porque es una sensación mística, de unir el Uno con el Todo en la idea de la Belleza.

Veamos una poesía de Hölderlin con estos motivos.[32]

> Entonces su ser [Eros] celeste
> me precipita en la dulzura de un juego infantil
> Y bajo su hechizo sus cadenas
> se desanudan gozosamente.
> ¡Así desaparece mi pobre impulso
> y se borra el último rastro de mis luchas!
> Mi naturaleza moral entra en la plenitud
> de una vida de divinidad.
> Y, en adelante, mi elemento es.
> Sé donde ninguna fuerza terrestre,
> ninguna orden divina nos puede separar,
> Allí donde nosotros devenimos Uno y Todo.
> Porque allí, tiempos caducos
> que nada valen, necesidad, son olvidados.
> Por fin, entonces, yo sé que soy yo mismo.

Toda la novela filosófica *Hiperión* tiene como principal objetivo, precisamente, este lema de la religión naturalista o panteísta «Hen kai Pan», alcanzar en algún momento la superación de las contradicciones humanas y conectarse con el Todo.

El amor pasional de pareja es el primer ensayo de Unificación, pero Hölderlin nos presentará al final de la novela otro ensayo, esta vez con la misma Naturaleza. El Eros pasional, al ser una

---

32 Hölderlin. *Sämtliche Werke. Gedichte.* Ed. Kohlhammer. Stuttgart, 1947, página 216.

emoción finita, no puede contener algo infinito, como es la conexión con el Absoluto, y de esta forma, Hölderlin acepta la limitación de su maestro Schiller con respecto al amor. Sin embargo, su descripción de la estructura del Eros pasional es de enorme importancia para nuestro estudio, para saber cada vez más sobre el Eros.

Veamos el instante en el que Hiperión descubre su amor por Diotima.[33]

> Lo he visto por una vez, lo único, lo que mi alma buscaba, y la perfección que situamos más allá de las estrellas, que legamos al final del tiempo, yo la he sentido presente: ¡Estaba aquí, lo más elevado estaba aquí, en el círculo de la Naturaleza humana y de las cosas!
>
> Ya no me pregunto dónde está, estaba en el mundo, puede volver a él, solo que ahora está más oculto en él. Ya no me pregunto qué es: lo he visto, lo he conocido.
>
> ¡Oh vosotros, los que buscáis lo más elevado y lo mejor en la profundidad del saber, en el tumulto de la acción, en la oscuridad del pasado, en el laberinto del futuro, en las tumbas o más arriba de las estrellas. ¿Sabéis su nombre?, ¡el nombre de lo que es Uno y Todo?
>
> Su nombre es belleza.
>
> ¡Oh Diotima, Diotima, ser celestial!

Para Hölderlin, el Eros constituye en primer lugar un sentimiento noble y elevado, si bien posee una conexión instintiva biológica, es mucho más que el afán de reproducción tras la belleza. Este sentimiento en el Eros es bidireccional, a diferencia del *agápē*. El sentimiento erótico espera y necesita un retorno

---

33 Hölderlin. *Hiperión*. Traducción J. Munáriz. Ed. Hiperión. Madrid, 1976.

de este sentimiento. Hölderlin menciona, asimismo, la metáfora platónica del espejo; el amante ve en la amada alguien diferente, pero, al mismo tiempo, igual a sí mismo, y la amada contempla en el amado alguien diferente a ella, pero también semejante a ella.

Esto significa que el Eros une, en un mismo punto cognitivo, la identidad y la diferencia. Traducido en emociones, esto quiere decir que el amado ama a la amada porque en su carácter encuentra muchos elementos iguales a sí mismo, y la amada viceversa; ambos se saben armónicamente de carácter semejantes. Pero, al mismo tiempo, el amado ama a la amada porque ella es diferente, en el sentido de que posee cualidades que él no tiene y él admira, y quizás desearía tener. Y viceversa, la amada reconoce al amado una serie de cualidades admirables que ella no posee. Desde un punto de vista filosófico, el Eros constituye un sentimiento contradictorio en sí mismo, o sea, un sentir místico, en un mismo tiempo y espacio, lo que parece inhabilitar el principio de no contradicción. Por eso se dice que el Eros es una experiencia mística.

La pregunta aquí es: ¿cómo se realiza dicha atracción? La respuesta es compleja. El amado empieza a ser atraído porque primero está fascinado y capturado por rasgos y cualidades intelectuales, morales y espirituales de la amada, es decir, son cualidades intelectuales bellas y no feas, pero, al mismo tiempo, el amante es atraído e impelido por cualidades físicas y corporales de la amada, por su cuerpo lleno de armonía y belleza. Y lo mismo podemos decir de la atracción de la amada hacia el amado.

No obstante, si el amado solo se queda atado a las cualidades bellas físicas y corporales de la amada, el Eros no prosperará en el futuro, ni se producirán todas las emociones eróticas que luego veremos. El Eros basado estrictamente en la sexualidad degenera en el amorío, y luego en el hastío, ya que la falta de cualidades bellas intelectuales y morales llevan al Eros y a los amantes a conflictos por la falta de respeto. Pero en lo inverso también sucede algo parecido. Si el amante solo se queda atado a las cualidades intelectuales y morales, bellas, de la amada, el Eros tampoco va a prosperar en un futuro inmediato. Un Eros basado esencialmente en cualidades intelectuales e incluso morales conducirá a la objeción de Schiller, o sea, cuando pase un cierto tiempo, el momento sexual reclamará su necesidad y el hechizo se romperá. O dicho de otro modo, lo que en la tradición se conoce como «amor platónico» o amor cortés, se halla expuesto a un corto recorrido.

Continuando, diremos que del amor pasional de pareja de la novela emergen una serie de sensaciones y experiencias adosadas al sentimiento primordial de entrega y aceptación al Otro, que debemos detallar.

La primera sensación anexa al Eros es la de la unidad entre amante y amada. El amante se siente como en una unidad con la amada, ambos desean y buscan dicha unidad y, sin embargo, milagrosamente, esta unidad de dos personas en una no elimina para nada su diferencia, su diversidad. Aun estando unidos, con el Eros continúan siendo dos personas diferentes. De nuevo nos encontramos con la paradoja de la superación del principio de no contradicción.

La segunda sensación es que esa unidad contiene a la vez la unificación de todas las contradicciones tanto del amado como de la amada. A nivel interior, tanto el amado como la amada ya no están en oposición o contradicción en sus cualidades internas. Es decir, se neutraliza la contradicción que surge a menudo en la vida de cada persona, entre sentimientos y razón. La razón dice una cosa, que se opone a los deseos y sentimientos. Con el Eros verdadero, se produce una unificación interior de estos opuestos contrarios. Se ama realmente con una unión, un enlace entre razón y sentimientos personales. En el amor coinciden ambas cosas opuestas normalmente en la vida cotidiana.

A nivel exterior, los seres humanos vivimos en permanente conflicto y oposición con otros seres humanos. El Otro, a veces, es solo diferente, a veces es rival, a veces es enemigo independientemente de su género. La amistad acerca a los seres humanos, pero solo el amor los unifica. Las oposiciones y contradicciones que pueden existir entre el Yo y el Otro, cuando el Yo es el amado y el Otro es la amada, desaparecen, son unificadas. Aunque ambos piensen y actúen diferente en parecidas circunstancias, los amantes hallan en la solución de la unidad la superación de sus diferencias y conflictos.

La tercera sensación en la praxis del Eros pasional se produce en la enorme emoción de felicidad cuando existe esa unidad que respeta las diferencias y se unifican las oposiciones. La felicidad que experimentan los amantes es la felicidad de no desear nada más, es decir, no es la felicidad de la posesión, o de la consecución de un proyecto, sino que es más bien el cesamiento de desear más cosas. En el verdadero Eros, los amantes se hallan colmados, cuando se tienen uno al otro. De hecho, solo desean estar solos, porque lo externo parece no existir o no importar. Incluso el deseo de perfección, tan habitual en los humanos, queda neutralizado. Los amantes declaran que su relación es perfecta, no hay necesidad de perfeccionarla.

La cuarta sensación en el Eros pasional se expresa en que los amantes parece que superan el espacio y el tiempo. Cuando se hallan en su unidad, los amantes no atienden al lugar donde están realmente, pueden atraerse y besarse en cualquier lugar y en cualquier espacio. El espacio en su diversidad queda detenido, solo están en un abstracto aquí. Lo mismo sucede con el tiempo. Cuando se aman, los amantes olvidan la noción del tiempo, el tiempo parece haberse detenido, las horas son para ellos minutos, y los días, instantes. Por lo tanto, parece que los amantes vivan en un escenario a-espacial y atemporal

La quinta sensación del Eros pasional es la de absoluta libertad en cuanto a su relación. Más allá de los temores que puedan tener de la sociedad o la familia, los amantes se aman sin limitaciones, por iniciativa propia, son libres en su atracción y en su reconocimiento. Son seres semejantes, libres y fraternos.

La sexta sensación del Eros pasional es la que atañe a la relación entre la mortalidad y la inmortalidad. Cuando los amantes se aman y forman una unidad de unificación de contradicciones, ellos se sienten eternos en su amor, no pueden imaginarse que esta unión pueda tener un fin, en todo caso temen que se rompa la unión, pero mientras aman, se sienten infinitos. En esta sensación de infinitud ni el temor a la muerte les parece ser capaz de detenerlos. Están convencidos de que pueden amarse más allá de la muerte y en contra de la muerte; aunque sea por solo momentos, piensan que su relación es inmortal.

Si ahora reflexionamos desde la modernidad sobre esta exposición del Eros que nos transmite Hölderlin, sin lugar a dudas veremos el porqué, desde Platón, Occidente ha considerado al Eros como una divinidad que hace partícipes a los humanos de la misma divinidad. Todas estas sensaciones, todos estos atributos del Eros, indican que el Eros, en su base, posee un substrato religioso, porque precisamente estos atributos, o sea, la felicidad colmada, la paz, la libertad, la a-espacialidad, atemporalidad, la unificación de contradicciones y el sentirse cuasi inmortales son los atributos que, desde siempre, toda la tradición ha adjudicado a la esfera de lo divino, a la vida de los dioses.

Hölderlin trata de ir más lejos aún con el Eros. Se hace la pregunta de nuevo: ¿Qué se oculta en el amor pasional? ¿cuál es el motor oculto que lleva a los amantes a estas sensaciones místicas y cuasidivinas? El amado ama o lanza su sentimiento hacia la amada, sentimiento de reconocimiento y atracción, y recibe lo mismo, pero lo que se ama detrás de la amada es lo que la amada posee, y la amada posee para ser amada la belleza. La belleza física corporal se basa en la proporción, en la gracia y el donaire de la proporción de elementos físicos. La belleza intelectual y moral se halla encriptada en la mesura y el discernimiento de los actos intelectuales y morales, actos que son hermosos al igual que buenos.

Por consiguiente, los amantes se aman por la atracción hacia la belleza.

Y no solo eso, sino que ambos tratan con su relación intelectual y sexual de generar más belleza, productos más bellos aún en los hijos y en sus relaciones y proyectos. Por lo tanto, la clave es la belleza. Platón construye una teoría metafísica de las Ideas para explicar este último punto. Para Platón, la belleza es una idea que está situada fuera del tiempo y del espacio, es eterna y es el arquetipo o modelo del que participan las cosas bellas. Lo bello, como cosa o persona, lo es porque participa de esa belleza intemporal y a-espacial.

La idea de la Belleza en Platón, empero, se halla situada en otra dimensión supranatural, se encuentra donde están las almas de los difuntos, en el éter.

Para Platón, las almas de los amantes, antes de su encarnación terrestre, habían contemplado esta belleza eterna, y además habían estado juntas en el cortejo del mismo Dios, que para Platón era identificadas con los planetas astrológicos, que él denominaba «las errantes».

Sin embargo, para Hölderlin, aunque ese arquetipo de la belleza o el ser en sí mismo se halla oculto en la Naturaleza y los amantes se aman en última instancia porque participan de la dimensión oculta de la Belleza, esta Idea de la Belleza arquetípica no se halla fuera del mundo natural.

Su panteísmo le lleva a aceptar que dicha belleza es la Idea del ser, de la misma vida del planeta. También acepta la teoría de la reencarnación de las almas, que aparece en el último capítulo de *Hiperión*. Aunque su inspiración sea Platón, la reencarnación de la que Hölderlin nos habla es la de Píndaro y Empédocles, una reencarnación que sucede en el ámbito terrestre aunque en una dimensión oculta de la Naturaleza.

RESUMEN

Para Hölderlin, el Eros pasional de pareja, por lo tanto, consigue, aunque fugazmente, algo que parece imposible en la sociedad, a través de la unificación de las oposiciones y contradicciones de dos personas, unificarlas, convertirlas en una unidad respetando sus diferencias. Este sentimiento elevado desencadena que los amantes, por un momento, vislumbren el «Hen kai Pan»: son Uno que se relaciona con la Totalidad de los dos caracteres y del mundo, porque nada queda fuera del amor, los amantes confían de forma absoluta en el Otro. Por un instante, en el marco de la teoría metafísica que hemos expuesto, se sienten infinitos, reconstruyen el lugar de donde habían salido un día, o sea, la unidad primordial con la Naturaleza, pero esta vez la unidad ha sido conscientemente organizada. Por un momento, otean la concordia y el amor, de donde emergieron, o sea, de la Divinidad-Naturaleza. De esta forma, Hölderlin conduce al amor romántico, con un discurso racional, hacia las más altas cotas de explicación jamás expuestas. Resulta que, en medio de tanta barbarie, en medio del dolor y las tragedias del mundo, si el ser humano es capaz de amar con la totalidad de su carácter a otra persona, hallará un vehículo que le desvelará la esencia de lo espiritual y lo religioso. Como vemos, el Romanticismo, por otros caminos, se aproximó al tantrismo de la religión vedanta, al considerar que el Eros de pareja era un posible camino hacia la conexión de la conciencia con la Totalidad.

HÖLDERLIN Y THANATOS

La relación que Hölderlin-Hiperión establece con Susette Gontard se basa en la dialéctica del intercambio intelectual y existencial entre los amantes. La novela *Hiperión* nos muestra esta evolución, parte de un casual encuentro con la amada, hacia una relación madura que, a través del contacto personal y el diálogo, va enriqueciendo a ambos y ayuda a evolucionar a sus identidades.

En última instancia es Susette, alias Diotima, la que le muestra quién es él, quién es Hölderlin y su tarea de bardo moderno, de poeta de la belleza.

El ocaso de su amor se inicia cuando Hiperión desvía parte de su Eros hacia la guerra de liberación de Grecia. Hölderlin-Hiperión cree que la política, la creación de un Estado teocrático en Grecia debe tener su oportunidad. Lo que en la novela se escenifica como la guerra griega-turca, se halla inspirada precisamente en las primeras guerras napoleónicas tras el amanecer de libertad de la Revolución Francesa, de la cual Hölderlin era ferviente admirador.

Al principio, Diotima es consciente de esta empresa, acepta que uno de los objetivos de Hiperión-Hölderlin no es solo el de unificar sus contradicciones personales, sino el de extender esta unificación a todo el pueblo heleno. La belleza también puede morar en un estado justo. Ella comparte, al inicio, la intención de extender el amor hacia otras cotas. Sin embargo, la guerra y la política dictan su ley. Hiperión se ve expuesto a graves peligros existenciales, corre la noticia de su muerte en combate.

Hiperión-Hölderlin se ve confrontado en la contienda bélica con el viejo dilema de los fines y los medios. Tras la lucha de Misistra, se da cuenta de que no puede utilizar medios bárbaros como hacen sus tropas, que contradicen los fines de la libertad, la igualdad y la fraternidad entre los hombres. El Estado no es lugar para la reconciliación de las contradicciones, como van a creer Hegel y Marx en el futuro. Alertada por nefastas noticias, Diotima enferma, y de forma paralela a lo que le sucederá a Susette poco después de la publicación de la novela, camina hacia la muerte.

Esa es la tragedia de Hiperión. El poeta tiene dos amores, el de pareja y el de la actividad sociopolítica. Esto fuerza al amor romántico a mostrar sus limitaciones, su finitud. El Eros de pareja aspira a superar las contradicciones entre los amantes; Hiperión, en cambio, aspira a mucho más. Esa tragedia también se ve reflejada en muchos hombres y en muchas mujeres modernos, cuando se orientan a una actividad encaminada hacia mejorar el mundo en el que viven a través de una actividad social o política.

De esta forma, Hölderlin conduce al Eros pasional también hacia Thanatos, hacia la muerte, en este caso, de su amada. Una vez más, cuando el escenario del amor pasional se muestra por motivos externos inasumible para la vida de pareja, la solución es trágica, como corresponde a la tragedia original griega. Una vez más, el amor conduce inevitablemente a Thanatos.

Al final, la tragedia es redimida. Antes de morir, Diotima le transmite a Hiperión la idea de que la muerte no va a separarlos. En su testamento, le expone una teoría de la inmortalidad natural, que proyecta el encuentro de los dos amantes *post mortem* en un nivel oculto de la misma Naturaleza. Con esta teoría de la inmortalidad, Hiperión no solo se redime a sí mismo y su amor, sino a todos los amantes sacrificados románticos, a Romeo y Julieta, a Werther, Ferdinand y Luisa y al mismo Novalis. De esta forma, Hölderlin-Hiperión es capaz de exponer poéticamente con una vuelta a la Naturaleza ancestral el triunfo del póstumo Eros sobre Thanatos.

CAPÍTULO CUARTO

LA PSICOLOGÍA MODERNA
Y EL AMOR ROMÁNTICO

SIGMUND FREUD

La psicología moderna partió en cuestiones de sexo y erotismo, como ya dijimos, de Sigmund Freud,[34] fundador del psicoanálisis, que en un principio fue construido a partir de la interpretación de los sueños. En un escenario de valores racionalistas y represivos de finales del siglo XIX, Freud tuvo el valor de presentar una teoría sobre el inconsciente y poner en entredicho los grandes valores sobre los que se asentaba la sociedad victoriana. Sin embargo, la concepción que Freud tuvo del amor en general y del amor de pareja pasional en particular fue a nuestro juicio muy pobre. Freud redujo el amor a la mera sexualidad. Freud coloca la satisfacción sexual genital en el centro del amor y la mayoría de los complejos y de las sublimaciones humanas tienen la sexualidad genital como protagonista. En cuanto al amor pasional de pareja en concreto y su sentimiento de unión en su dualidad y su misticismo extático y oceánico, Freud lo define como un fenómeno patológico, como una recuperación del narcisismo sin límites. Incluso el

---

34 Freud, Sigmund. *El malestar de la cultura.* Alianza Editorial. Madrid, 1968.

«*agápē*», el amor al prójimo, es definido por Freud original-
mente como impulso sexual, que ha sido reprimido en su emoción y se ha transformado en erotismo compasivo.

Para Freud, enamorarse de otra persona limita siempre con lo
patológico y siempre va acompañado de ceguera frente a la realidad y, asimismo, constituye una transferencia psíquica de los
objetos queridos de la infancia. De hecho, podemos afirmar que
más allá de la sexualidad, Freud nunca llegó a entender la esencia del amor de paraje pasional, ya que para él no existía como
tal, todo era, como dijo acertadamente Jung, solo sexo. Freud
llegó a escribir que la satisfacción plena sin represiones de los
instintos primarios proporciona al ser humano felicidad y salud.

ERICH FROMM

En el siglo xx, otra interesante aportación en torno del amor se
la debemos al psicólogo y filósofo judío Erich Fromm. Fromm
perteneció al círculo de pensadores de la llamada Escuela de
Frankfurt, agrupados en torno al Institut für Sozial Forschung
(Instituto para la Investigación Social) de la misma ciudad, y
perseguidos por el nacionalsocialismo, con nombres tan pro-
minentes como Th. Adorno, M. Horkheimer, H. Marcuse, y
W. Bejamin, y cuyo común denominador era conciliar el análisis teórico de la filosofía marxista con el psicoanálisis freu-
diano. En su obra dedicada al amor *El arte de amar*,[35] Fromm
expone una serie de tesis que marcan su distanciamiento con
respecto a Freud en este tema.

---

35 Fromm, Erich. *Die Kunst des Liebens*. Ed. Ullstein. Frankfurt am Main,
1978.

De entrada expone en este libro no tanto el amor de pareja pasional, sino el amor en general. Define el amor universal como la nostalgia y la tendencia del ser humano a superar su separación de los Otros, a conseguir la unificación de opuestos, que en el caso del amor de pareja se trata de la unificación de la polaridad masculina y femenina, que son opuestos complementarios.

Para Fromm, el verdadero amor es el «amor al prójimo» expuesto en las religiones monoteístas, y también dedica la mayor parte de su obra a exponer el amor hacia Dios en sentido monoteísta, ya que Fromm proviene de dicha tradición. Esta posición intelectual le conduce a dar escasa relevancia al amor pasional de pareja.

Según Fromm, el amor de pareja es una de las formas menos positivas del amor universal. En un principio, reconoce la potencia de unificación del amor sexual, pero expone que es una unificación ilusionaria, porque cuando fenece la atracción sexual y el orgasmo, los amantes continúan siendo extraños para ellos mismos. Ciertamente, el amor erótico para Fromm es más que la sexualidad; elementos como entrega o complicidad son fundamentales. Fromm recalca la limitación del amor de pareja, en cuanto que excluye de la unificación a otras personas y señala que, algunas veces, el amor de pareja, por su aislamiento, conduce al egoísmo ético. Sostiene Fromm, además, que el amor de pareja no es solo un sentimiento, sino muchas veces un acto de la voluntad en la que el sentimiento tiene un roll secundario.

En otras exposiciones, Fromm muestra un resentimiento contra el amor de pareja, cuando describe fenómenos de pseudoamor relacionados con la pareja. Por ejemplo, describe el amor (folie à deux) cuasimístico o religioso entre amantes como una proyección casi neurótica, en el que la amada es idealizada como una diosa debido a la falta de identidad y personalidad del amante. También arremete contra el amor sentimental, basado en novelas y películas, cuyo consumo no mejora las cualidades reales de las personas que buscan amor, sino que más bien los proyecta hacia sueños ideales alejados de la realidad.

En resumen, aunque Fromm se distancia parcialmente de la concepción freudiana del amor en general y del amor de pareja en particular, no valora en absoluto al amor de pareja pasional, situándose en una posición de crítica y rechazo frente al amor romántico.

Para Fromm, el verdadero amor es el amor al prójimo por ser un sentimiento universal.

CARL GUSTAV JUNG

Como ya hemos mencionado, Carl Gustav Jung,[36] antiguo discípulo de Freud, rompió también con su maestro precisamente por la predominancia de la teoría de la libido o sexualidad que esta tenía en Freud y que reducía la mayoría de los fenómenos psíquicos, incluido el amor, al ámbito de la sexualidad. Para Jung, la libido instintiva y sus energías eran importantes en el psiquismo pero no lo explicaban ni mucho menos todo.

El punto de partida de Jung comenzó con la teoría del inconsciente colectivo, que junto al inconsciente personal enriquecía la psique humana con símbolos e ideas culturales de la tradición. Para precisar dichos símbolos construyo la noción de arquetipo. En este nuevo contexto, Jung indicó que los ins-

---

36 Jung, Carl Gustav. *Freud y el psicoanálisis*. Volumen 4. Ed. Trotta. Madrid, 2000.

tintos humanos, y en especial la sexualidad, entregan la energía psíquica de origen, pero al mismo tiempo en el inconsciente humano encontramos arquetipos, es decir, símbolos mediados culturalmente que por la voluntad del Yo derivan esta energía y la canalizan hacia esferas mentales e incluso espirituales. La diferencia, en este punto, entre Freud y Jung se observa en la discusión que tuvieron a propósito del incesto. Para Freud, el deseo del incesto era un deseo inconsciente de poseer a la madre real sexualmente de forma literal. Jung, en cambio, interpretó el deseo del incesto simbólicamente, como un deseo de permanecer en el paraíso de la infancia, la edad de oro. Para ello se orientó hacia la noción de incesto en culturas antiguas en donde se habían dado, como la egipcia. Jung consideraba esta unión del hijo con la madre, no de forma estrictamente sexual, sino como la fuente de la vida. En realidad, indicaba Jung, la sexualidad tiene poco que ver con el incesto, no es biológicamente deseado, sino simbólicamente significativo.

Los arquetipos que se hallan en la base del amor de pareja son los conocidos «anima» y «animus»[37]. Según Jung, inspirándose en Kant, el arquetipo es como la «cosa en sí misma» y, por lo tanto, se halla mas allá de la percepción humana. Tampoco los Arquetipos derivan de la cultura, más bien son las formas culturales las que derivan de los Arquetipos .De hecho la función del «anima» y el «animus» consiste en procurar un vinculo entre el inconsciente individual y el colectivo. Con el término «ánima», Jung no se refiere a la parte inmortal del alma humana o sea a su sentido religioso, sino al lado oculto de la personalidad del hombre. Con el término «animus» tampoco se refiere a un espíritu metafísico como el Espiritu Santo, sino

---

37 Jung, Carl Gustav. *Los arquetipos y el inconsciente colectivo.* Volumen 9/1. Ed. Trotta. Madrid, 2002.

al lado recóndito de la personalidad de la mujer. Estos géneros cruzados conducen a Jung a indicar que tanto los hombres como las mujeres poseen elementos masculinos y femeninos en su personalidad. O dicho en otras palabras: «anima» es el ideal inconsciente que el hombre tiene de la mujer y «animus es el ideal inconsciente que la mujer posee del hombre.

Además los Arquetipos complementan el carácter de la persona.

Una mujer clásica se describe como receptiva, cálida, acogedora, intuitiva y empática, pero dentro de esa mujer en su «animus», aparece al mismo tiempo como dura, critica, dominante y agresiva. En forma similar el hombre es definido como fuerte, agresivo, directo y asertivo, pero a través de su «anima» también es sensible, sentimental, vulnerable y fácil de ofender. O sea que todo hombre lleva la imagen de una mujer no en particular, sino una imagen eterna de su ideal, y toda mujer lleva en su interior un ideal de hombre. En la relación amorosa entre las parejas, el Yo sea hombre o mujer desencadena sus sentimientos no solo con la imagen real de su amante o amada, sino que en este sentimiento se introducen las proyecciones del «ánima» y del «animus» respectivamente. Esto lleva a conflictos y experiencias que el Yo debe superar. El erotismo humano se halla relacionado con la sexualidad, pero lo que emerge de imágenes y proyecciones no puede reducirse a lo sexual.

¿Cómo es que escogemos una pareja y no otra, se pregunta Jung?[38]. En términos generales, a pesar que a la mujer le atraen los elementos clásicos masculinos, a través del «animus» se proyectan en ella valores masculinos intelectuales y heroicos, en la práctica esto significa escritores, viajeros, deportistas y artistas.

---

38 Murray, Stein. *Jungs Map of the Soul.* Carus Publishing Company. USA, 1998.

En cambio, el «ánima» proyecta al hombre más allá de los valores clásicos femeninos, imágenes de mujeres desamparadas (las princesas que hay que salvar), oscuras, voluntariosas y hasta vanidosas. Jung es consciente de que el amor romántico apunta a un sentimiento muy elevado, lo que se denomina *mysterium coniunctionis,* o sea, la unión mística y espiritual, pero también es consciente de que el amor pasional debido al «ánima» y el «animus» es una fuente de confusiones y contradicciones que lleva a los amantes hacia aguas procelosas, demasiado ideales.

Jung también avisa de que las parejas que sean capaces de lidiar con estos arquetipos, y de bajar del cielo a la tierra manteniendo a raya la emotividad (hombres y mujeres conscientes del sí mismo), van a ser capaces de una experiencia trascendental que iluminará sus vidas.

EL AMOR ROMÁNTICO Y SU CRÍTICA PSICOLÓGICA

Llegados a este punto, debemos mostrar la psicología moderna que se ocupa del amor romántico en la esfera de las tesis de Jung, y para ello nada mejor que aportar citaciones del psicólogo Robert A. Johnson, quien se ha ocupado notablemente desde sus experiencias clínicas con problemas matrimoniales y de pareja.

Robert A. Johnson[39] parte de la premisa de que el amor pasional de pareja moderno, en mucha ocasiones, se ve envuelto en este amor de destino y de alta emotividad que tiene lugar en paradigma del amor romántico clásico, que para él, a mi jui-

---

39 Johnson, Robert A. *Para comprender la psicología femenina.* Ed. Era Naciente. Buenos Aires, 1996.

cio erróneamente, se expone en la leyenda de Tristán e Isolda. Robert A. Johnson aplica su análisis en base al amor cortés y no en el amor del Romanticismo del siglo XIX, lo que desfigura su exposición.

> El amor romántico en sí mismo constituye una paradoja. El amor romántico es una confusión profana de dos amores sagrados. Uno es el amor divino, es nuestra ansia natural de ir hacia el mundo interno, el amor que el alma tiene hacia Dios o a los dioses. El otro es el «amor humano», el amor que tenemos a las personas, seres humanos de carne y hueso. Ambos amores son válidos y ambos son necesarios. Pero debido a algún artificio de la evolución psicológica, nuestra cultura ha confundido los dos en la poción del amor romántico y casi perdemos ambos. En su mejor versión, el Romanticismo y el amor romántico son intentos válidos de devolver lo perdido a la conciencia occidental. El Romanticismo trata de restaurar nuestro sentido del aspecto divino de la vida: la vida interior, el poder de la imaginación, el mito, los sueños y las visiones. La tragedia nos muestra que hemos hecho un mal uso del ideal del Romanticismo, hemos descolocado el amor divino y, en el proceso, casi destruimos nuestras relaciones humanas. Llamamos «amor» a lo que no es realmente amor, y perseguimos una imagen idealizada del ánima (y del *animus* en sentido jungniano) más que amar a un ser humano de carne y hueso... El amor romántico es como un túnel de amor, no podemos permanecer en la oscuridad, tenemos que salir al otro lado y resolver la paradoja. Pero para los occidentales parece necesario entrar en este túnel... Mientras avanzamos, mientras desenmascaramos las ilusiones y exponemos las contradicciones, recordemos que nuestra tarea no es alabar o condenar el amor romántico. Nuestra tarea es convertirlo en un camino hacia la conciencia para vivir la paradoja con honestidad, para aprender a honrar los dos mundos.

En resumen: Robert A. Johnson realiza un análisis del amor pasional de pareja moderno, desde la perspectiva de la psicología de Jung, desde los arquetipos de «ánima» y «animus», y su conclusión es la de valorar los contenidos románticos del «ánima» y «animus» como elementos egocéntricos, pero contraponiendo este modelo de amor al amor realista, el amor moderno de pareja que conciencia las limitaciones y contradicciones de una relación humana.

Aunque Robert A. Johnson es consciente del misticismo divino del amor romántico, en última instancia toma partido decidido por el amor real moderno, y dado que para él el amor romántico es extraído de la leyenda trágica de Tristán e Isolda teñida de catarísmo trágico, Johnson no es capaz de poner el foco intelectual sobre otros modelos románticos y describir qué sucede cuando el paradigma del amor romántico es valorado por sí mismo. No todo el amor romántico es proyección de arquetipos ideales y no necesariamente debe acabar en tragedia, aunque en algunas ocasiones así sucede.

Si realizamos ahora un resumen de lo que la psicología moderna académica emite sobre el amor romántico, constataremos que los principales argumentos en su contra se basan:

En primer lugar, en interpretarlo como una proyección fantasiosa que no es capaz de entender el principio de realidad de las relaciones eróticas. Es decir, proyecta ideales, en el sentido del «ánima» y el «animus», sobre seres de carne y hueso. Esto conduce la mayoría de las veces a grandes sufrimientos y conflictos.

En segundo lugar, se critica al modelo del amor romántico porque los amantes se hallan teñidos de egocentrismo. Se interpreta que el amor que el amante siente hacia el amante o la amada, inconscientemente significa que el Ego de los mismos no ha evolucionado, que se hallan presos en el laberinto de sus ideales y que, en realidad, nos movemos en el instinto de posesión relacionado con déficits de evolución personal. El amor romántico aparece así como un narcicismo larvado.

En tercer lugar, el sentimiento romántico, aparte de ser una sensación fugaz, que no dura en el tiempo, tiene el problema de ser demasiado emocional, y se produce en los amantes un déficit en racionalidad y moralidad que a menudo atenta contra el sentido común y el sentido de la cotidianidad.

CAPÍTULO QUINTO

EL AMOR PASIONAL DE PAREJA
EN EL SIGLO XXI

Una vez expuesto el paradigma del amor romántico, es necesario volver la mirada hacia lo contemporáneo y describir sucintamente los rasgos esenciales del Eros en las sociedades industriales avanzadas.

¿Qué es el Eros pasional de pareja en la modernidad?

En la actualidad, se parte de un escenario social muy distinto al que dio origen al amor romántico. La sociedad del siglo XXI, en Occidente, constituye, en teoría y respecto al amor, una sociedad liberada. Desde la revolución cultural de Mayo del 68, las relaciones eróticas de pareja tienen poco que ver con las relaciones del siglo XIX. De hecho, ha triunfado en gran parte la visión de Herbert Marcuse,[40] el filósofo de los nuevos movimientos sociales del siglo XX, indicando que a través del Eros polimorfo y el sentido lúdico de la vida es posible desublimar la razón y las convenciones económicas que aún restan en el amor, de forma que, eliminada la represión sobrante de nuestra sociedad, permita unas relaciones libres y abiertas, tanto en el terreno de lo sexual como en lo estético. La sociedad industrial del siglo XXI ha replegado sus convenciones y prohibiciones

---

40 Marcuse, Herbert. *Eros y civilización*. Ed. Seix i Barral. Barcelona, 1968.

hacia ámbitos políticos y económicos y ha dejado el terreno libre para la fantasía erótica de las parejas.

En la sociedad actual, la misma noción de «pareja» se ha modificado. La pareja ya no responde solo a géneros diferentes, a menudo la pareja se basa en personas del mismo género, o si tenemos en cuenta el transexualismo, a parejas que adoptan roles sexuales y sentimentales intercambiados. Incluso tenemos ejemplos serios de relaciones que rompen el marco de la pareja, y se adentran en el terreno sentimental del poliamor, de las relaciones grupales.

En el ámbito estricto de la pareja de género masculino y femenino también han tenido lugar grandes cambios, en especial de la mano de la evolución de la mujer. La mujer del siglo XXI en las sociedades industriales avanzadas, gracias a su inserción total en el mundo de la educación y el trabajo, ha adquirido una autonomía, social y económica que la ha propulsado hacia una madurez de carácter impensable en el siglo XIX. La mujer, incluso en la alta burguesía, ya no es aquel ser sujeto al varón por leyes injustas y que debe ser tutelado, ya no es un apéndice de su marido o su amante, sino una persona que despliega sus potencialidades y ofrece a la sociedad una serie de valores propios de su sexo que son indispensables y creadores, compensando así los rudos valores masculinos

Por otro lado, con la irrupción de la pornografía y la extensión de dicho fenómeno, de las películas a los vídeos en internet, el concepto de amor moderno se ha ido deslizando no solo hacia la confusión entre amor y sexualidad, sino incluso hacia el narcisismo y el solipsismo. Es decir, el Eros que se desliga de la pareja y que tiende hacia la vivencia de aventuras eróticas en las que casi el único sujeto protagonista es el amante de sí mismo.

Y por supuesto, tenemos al Eros del arte de masas de los siglos XX y XXI, como la cinematografía o la literatura vulgar erótica al estilo de *Cincuenta sombras de Grey*. En un principio, Hollywood transmitía la relación amorosa siempre basada en las nuevas reglas lúdicas y tópicas de la sociedad de consumo con «final feliz» por motivos populistas, pero gracias al cine de autor que se instaló en la segunda mitad del siglo xx y en el siglo xxi, los argumentos cinematográficos han ido ganando en consistencia y han presentado el amor pasional de pareja como evolución psicológica de los amantes o como proyectos ideales compartidos.

En este nuevo escenario de la modernidad, no estará de más diferenciar con detalle lo que no es o no corresponde al amor pasional de pareja, que, pese a todo, continúa existiendo con vigor.

EL PSEUDOEROS

El Eros no es una aventura. La aventura entre dos personas constituye un capítulo aislado en sus vidas, es como un paréntesis vivencial. Dos personas del género que sean se conocen y se sienten atraídos, sea por la sexualidad o por el intelecto, y juntos viven por un tiempo una serie de experiencias lúdicas, heroicas e incluso pasionales.

Pero la aventura es un *intermezzo* en la vida de una persona, y cuando las condiciones previas excepcionales de la misma, un viaje, una casualidad, un proyecto laboral, desaparecen, las condiciones previas biográficas se imponen. A todo aventurero le llega el instante de cerrar la aventura con la aventurera, o implicarse en la senda del amor pasional de pareja, que le conduciría al respeto y al reconocimiento de la aventurera o del aventurero más allá del tiempo vivido.

El Eros pasional de pareja no se da necesariamente en el matrimonio. El matrimonio constituye un contrato jurídico, social y, a veces, hasta religioso, establecido por la sociedad y el Estado, con el objetivo de regular el orden social y económico asegurando el futuro de los hijos y de la familia. Ciertamente, se supone que en la modernidad dos personas que contraen matrimonio lo hacen porque se aman, pero esto es solo una hipótesis.

Es cierto que en el siglo XXI la elección del cónyuge se basa en la libertad personal, y ya no en la autoridad paterna y de clase del siglo XIX, pero los motivos sociales, económicos y dinásticos familiares en el matrimonio continúan vigentes, solo que ahora la decisión se ha desplazado de la familia al sujeto que debe casarse. En muchas ocasiones, el futuro cónyuge valora consciente o inconscientemente las condiciones socioeconómicas del otro cónyuge. La persona moderna debe decidir entre contigo pan y cebolla o contigo en las Bahamas, y todos conocemos innumerables matrimonios aparentemente en libertad que se concretan por motivos crematísticos. O incluso en la actualidad puede darse el matrimonio por compasión. El mundo intercultural y globalizado ha desencadenado el fenómeno de las grandes migraciones, y en este contexto todos conocemos matrimonios por compasión o por ayuda económica al emigrante.

Por supuesto que existen matrimonios que se basan, al menos en su arranque, en el amor pasional de pareja. Tampoco hay que olvidar que el matrimonio moderno como institución no es un lugar que ayude a fomentar el Eros. El matrimonio moderno con ambos cónyuges en actividades laborales y sociales, con las servidumbres económicas compartidas y las obligaciones familiares para con los hijos, no constituye una atmósfera proclive a mantener el Eros pasional. No es por azar que una parte de las separaciones y de los divorcios tengan lugar por las rígidas estructuras matrimoniales y las servidumbres existenciales que esto conlleva.

El amor pasional de pareja tampoco tiene lugar necesariamente en una relación sentimental y sexual de pareja de carácter esporádico. En la modernidad, tener «una relación» o «liarse» significa que dos personas que se han conocido y deseado planean estar juntas de cuando en cuando, realizando planes comunes y coincidiendo en intereses y proyectos. Puede ser que la sexualidad sea su punto inicial de encuentro, pero el hecho de establecer una relación más o menos temporal implica que están en juego aspectos intelectuales y culturales. De hecho, el nexo que a menudo une a estas personas en su relación erótica es el aspecto lúdico y estético de la relación. Se trata de «pasarlo bien». Dado que otros elementos del amor pasional, como reconocerse en la imagen del Otro o la superación de sus oposiciones en una nueva unidad, no llegan normalmente a concretarse, el ludismo muestra al cabo de un tiempo sus límites. Por supuesto que esto no impide que una relación temporal o esporádica prospere un día hacia el amor pasional romántico.

Lo que el amor pasional no es ni puede ser, en ningún caso, es posesión del otro. En la modernidad, el ser humano se halla acostumbrado al consumo, el consumo implica previamente la posesión del objeto. Un automóvil, una televisión o un vestido. Algunas relaciones entre personas se basan en la posesión del consumo. La posesión es el veneno del amor, porque normalmente conduce a la hidra del amor que son los celos y, en última instancia, a la violencia. El Eros y la posesión son incompatibles, y el amor de pareja muere cuando aparece la violencia. Eros y Violencia son opuestos contrarios, cuando uno aparece el otro desaparece por completo, ya que el Eros implica, sobre todo, ternura.

EL AMOR PASIONAL INTEGRAL

Todos estos esbozos de relaciones humanas eróticas si bien pueden llegar a ser amor pasional integral, no lo son por sí mismas. Y esto es así porque, en primer lugar, la mayoría de estas relaciones se hallan imbricadas con motivos externos a la relación, elementos y motivos coyunturales. En segundo lugar, porque dichas relaciones surgen básicamente del instinto sexual y las sensaciones que este instinto conlleva. O por el contrario, cuando partiendo de la sexualidad las personas implicadas aplican, luego, de súbito, el dominio del instinto con la reflexión racional. El Eros no tiene futuro cuando se aplican separados la sexualidad y el intelecto; el amor pasional vive precisamente de nobles y bellos sentimientos, que siempre aspira a producir el sentimiento del amor que une precisamente irracionalidad y racionalidad en UNO. Hölderlin definió este punto de encuentro de nuestro psiquismo como «intuición intelectual».[41] En cuestiones de Eros debemos olvidar la famosa frase de Descartes «Yo pienso racionalmente, luego existo», y sustituirla por las ideas de Hölderlin: «Yo amo porque siento, y por este sentimiento yo existo». La modernidad, debido a que la educación humana es prioritariamente racional y técnica, continúa, pese a todo, relegando en nuestra vida los nobles sentimientos, que es precisamente lo que los románticos reivindicaron para ser feliz. La mente moderna tiene horror a los sentimientos, y en esta tarea, la sociedad actual ha encontrado la ayuda de las religiones monoteístas que sospechan siempre del amor pasional, del amor que no sea *agápē*. No se trata aquí de condenar ni el instinto sexual primario que tiene

---

41 Hölderlin, Friedrich. *Sämtliche Werke. Aufsätze.* Ed. Kohlhammer. Stuttgart, 1961.

su función y legitimidad, ni la reflexión racional que tiene el poder de adecuar nuestros ideales a la realidad concreta. Una reflexión racional en un momento dado de la relación erótica puede ser fundamental, como lo es una relación sexual sana y lúdica. Pero para obtener una síntesis entre ambos, que produce el Eros integral, es necesario pensar, sentir y actuar al estilo romántico con la TOTALIDAD de la conciencia, y esto implica estar abierto a los elementos inconscientes, intuitivos y espirituales de la misma. Pensar, sentir y amar con la totalidad de nuestra conciencia implica no ocultar sentimientos por miedo a que sean heridos o ridiculizados, que es el *hobby* de la mente moderna.

Si el matrimonio, la sexualidad, la aventura y la misma relación esporádica entre sujetos no es totalmente amor integral de pareja, entonces, ¿qué es el Eros en sí mismo?, ¿qué es lo que hemos definido al principio del ensayo como amor de pareja integral?

Como hemos expuesto, gran parte de la psicología moderna (con algunas salvedades) critica duramente el modelo de amor romántico que se inició en los siglos XVIII y XIX. Debemos, ahora, una vez más, exponer el modelo del amor romántico de modelo integral, para mostrar que las intuiciones del Romanticismo, al menos, nos explicaban correctamente la fenomenología del Eros, y solo a través de esta exposición podremos poner en tela de juicio algunas de las críticas (no todas) de la psicología contemporánea. El texto que sigue a continuación se halla inspirado en las obras y la filosofía de los autores románticos que hemos venido exponiendo.

El amor se inicia en el encuentro entre dos personas y, en este primer momento, son las percepciones, o sea, la visión, el oído de sus voces, el movimiento de sus cuerpos y quizás un furtivo tacto superficial lo que impacta sobre ellas. Lo que las personas percibimos es la belleza que nos transmiten las mismas. A este nivel, lo bello perceptivo se basa en la armonía, la mesura y la proporción de lo bello corporal de la otra persona. Pero hay otra percepción más invisible que denominaremos percepción «etérica». Utilizamos el término «etérico» como dijimos en el sentido que posee esta palabra en la tradición oriental, es decir, en la percepción magnética y energética que las personas emiten más allá de su cuerpo físico. En Occidente se suele utilizar la palabra «química» cuando hay atracción inexplicable entre dos personas. Este percibir la belleza implica a los sentidos. El Eros se inicia, pues, por los sentidos y las emociones receptoras, que des-ocultan la belleza.

En un segundo plano, se inicia el diálogo, y a través del diálogo, de las palabras y las imágenes que estas evocan, las personas perciben ahora con el intelecto las bellas palabras y los argumentos que transmiten la belleza de las posiciones morales, estéticas e intelectuales de su interlocutor. El diálogo ya permite vislumbrar la personalidad de las personas y empezar con la comparación de los propios ideales. De forma seminconsciente, la persona atraída por lo bello y lo corporal de la otra empieza a comparar el modelo descubierto con el arquetipo de mujer o de hombre que se lleva desde la infancia. Si lo que se percibe de la otra persona encaja en los ideales, el Eros se refuerza, y si no es así, se debilita.

Una vez finalizada la fase del encuentro, si la des-ocultación de la belleza ha sido efectiva, se entra en la fase de la atracción.

Esta fase se inicia con el deseo de la persona hacia otra persona, un deseo de proximidad, de estar cerca de la misma, de transcurrir tiempos y espacios cercanos.

En un momento dado de la atracción de las cualidades bellas tanto físicas como intelectuales de la otra persona y del deseo de proximidad, se desencadenará en uno u otro, o en ambos a la vez, lo que en sentido moderno se denomina «flechazo» y que en el mundo antiguo eran los impactos de la flechas de Eros. El flechazo no está sujeto a espacios temporales, puede acontecer en un día, en horas o en unas semanas. El flechazo significa que se ha iniciado una corriente etérica que irá de una persona a la otra. En su encuentro, las personas podían sentirse atraídas por la energía etérica que emanaba de la belleza de la otra persona, pero ellas mismas no establecían la corriente energética. A partir de ahora esto sucede de forma bidireccional de una a otra, y si la pasión es correspondida, la corriente energética convierte a la persona que la emite, en amado, y a la que la recibe, en amada, o segundo amado según los géneros. La modernidad menosprecia el magnetismo etérico, cree que el Eros es meramente una actitud psicológica, pero hay mucho más. Como dijimos, cada organismo humano emite una energía biopsíquica en vibración, y cuando aparece el amor pasional, esta vibración se dispara en un fluir hacia la amada, y si es correspondido, viceversa. En última instancia, la fuerza del Eros reside en la intensidad de esta vibración. Es a través de dicha energía por la que el Eros canaliza el deseo y la atracción de proximidad. Es lo que los egipcios denominaban Heka. Es entonces cuando los ya amantes desean aproximarse mucho más a la belleza que han vislumbrado, y empieza la relación íntima y el idilio.

En el idilio, el deseo erótico de acercamiento y contacto empieza por lo corporal, por los besos y las caricias, y por el diálogo íntimo. Es el momento de la proximidad sexual, el intento ya explícito que culmina en la unión genital y el orgasmo mutuo, y más allá de la fase genital, de tener contacto directo corporal para devenir una unidad. Pero tras la sexualidad no aparece el hartazgo, ni el alejamiento como suele suceder en las relaciones espontáneas o meramente sexuales; al contrario, el amado desea, asimismo, aproximarse hasta la unidad con los rasgos sentimentales, emocionales e intelectuales de la amada. Los amantes continúan deseando estar cerca uno del otro. Así, pues, más allá del placer sexual, se configura en el amor pasional otro placer. El de estar junto a la persona amada y encandilarse con sus rasgos intelectuales y morales.

Esto ya preludia que el amor pasional se basa al mismo tiempo tanto en la sexualidad como en los sentimientos nobles.

Como los románticos insinúan, lo esencial no es ni un momento ni otro, sino la imbricación de ambos. Una Unidad estable solo puede basarse en lo sexual y lo intelectual al mismo tiempo.

En esta fase, el amado contempla y reconoce a la amada como algo semejante a él mismo, como parte de sí mismo, y la amada contempla y reconoce al amado como parte de sí misma, pero al mismo tiempo el deseo de admiración se mantiene porque hay algo en la amada que él no posee y desea, y al igual sucede con la amada, reconoce que en el amado hay cualidades bellas que ella admira. El deseo de unificarse se basa en que ellos son semejantes y, al mismo tiempo, diferentes. En esta fase pasional descubren, por supuesto, que hay contradicciones entre ellos, oposiciones de carácter en algunos aspectos, pero estas oposiciones son superadas por el deseo de unirse, de formar una unidad en la misma diferencia. Si faltase el sentimiento del amor pasional, estas contradicciones serían insuperables, pero, en el sentimiento noble y elevado del Eros integral, no sucede así: las contradicciones encuentran su síntesis.

Ese es el milagro del Eros bidireccional, sentimiento único que poseen los humanos para superar y perdonar diferencias y contradicciones, como asegura Hölderlin. Los amantes son dos pero son uno, y en la unidad conviven las diferencias, por lo que el Eros no absorbe sus personalidades, no los enloquece en una unión que eliminaría sus identidades. Son al mismo tiempo idénticos a sí mismos y al mismo tiempo duales en una unidad.

En la fase del idilio se desencadenan por el canal etérico del amor pasional un torrente de emociones elevadas. Los amantes son conscientes de que con su Eros han tomado una decisión en total libertad, una decisión trascendental de unirse a otro ser por voluntad propia. Y al mismo tiempo, los amantes son conscientes del respeto que le merece la identidad del otro. Simultáneamente, se desencadena el entusiasmo por la relación, porque de repente sienten una serie de sensaciones y pensamientos tanto conscientes como inconscientes que les muestran que el Eros bidireccional que ellos sienten es un suceso que se parece a un regalo cósmico, un golpe de destino.

Es aquí donde aparecen las emociones que Hölderlin y Platón señalan que son cuasi divinas, casi místicas. Los amantes sienten una felicidad diferente de la felicidad de poseer objetos o triunfos. Son felices por no desear nada más en referencia a la relación. No es una felicidad para conseguir otra, sino que aquí y ahora se hallan y se sienten colmados estando juntos. De hecho, se sienten en paz con ellos mismos.

En esta felicidad que proviene de la unificación de ambos, sienten por momentos que su amor es atemporal y a-espacial. No solo dejan de percibir el tiempo solar en su transcurrir (estar cerca o lejos de la amada cambia su percepción), sino que desprecian el espacio, podrían vivir juntos en cualquier lugar. El sentimiento del Eros los hace sentirse infinitos respecto a su relación, tienen la intuición de que la unión es cuasi eterna, que nunca puede fenecer. Se sienten, además, llenos de poder para afrontar cualquier circunstancia. Tienen la certeza los amantes que unidos pueden superar cualquier obstáculo.

Y nunca han estado tan alejados de Thanatos como ahora que viven en el seno de Eros. Eros y Thanatos, o sea, el principio de la reproducción de la vida y el principio de la destrucción de la vida son opuestos contrarios. Si en algún momento, por desesperación biográfica, han deseado aproximarse a Thanatos, en el momento del volcán de Eros la muerte ya no existe, es algo irreal, y se avergüenzan de pensar que en algún momento, por desesperación, se han acercado a la idea de la muerte. Ahora desean vivir plenamente para ofrecer su personalidad al otro. Finalmente, la vivencia del Eros pasional desencadena una alta vibración de salud. Tanto el amante como la amada se sienten en su idilio enérgicos, vigorosos, y dejan atrás cualquier signo de melancolía y depresión. Podría afirmarse que Eros es curativo. En el caso de que alguno de los amantes padezca alguna dolencia, el amor pasional va a mejorar su psiquismo y con ello la evolución de su dolencia.

LAS RAZONES DEL AMOR PASIONAL DE PAREJA

Si ahora relacionamos esta exposición con la crítica que ejerce la psicología moderna al amor pasional romántico, veremos que lo que la psicología critica no es tanto el paradigma de este amor sino la evolución posterior del idilio. De hecho, la psicología moderna no pone el foco de atención en el modelo romántico en sí mismo, sino en algunas de las consecuencias posteriores y proyecciones. Esto se traduce en que se pasa por alto la interpretación in situ y la filosofía de este amor romántico. En otras palabras: la psicología moderna no capta las sutilezas y la intensidad de las emociones de los amantes, ni tampoco su interpretación.

Veamos ahora el argumento crítico sobre la falta de realismo del amor pasional romántico, o sea, el reproche que vive el mundo ideal proyectado y que no es capaz de lidiar con la cotidianeidad, tal como lo aduce el psicólogo Robert A. Johnson.

Es cierto que este es uno de los problemas del amor pasional romántico, pero generalmente esto sucede debido a las adversas circunstancias exteriores ampliamente descritas en la literatura de todos los tiempos.

Normalmente, los amantes se hallan expuestos a grandes presiones sociales y económicas exteriores que conspiran contra su relación. En muchos casos, posiblemente, los amantes deberían aceptar el principio de realidad exterior y modificar sus conductas. Pero el amor pasional se enfrenta precisamente al principio de realidad exterior, está en su naturaleza. Los amantes intuyen que la otra persona es precisamente la que durante años han estado esperando, frente a esta emoción no podemos esgrimir el principio de realidad como hace la psicología moderna. No tiene mucho sentido condenar el amor pasional por huir de la cotidianeidad y la pasividad en la que viven muchas parejas y orientarse hacia una relación ciertamente más heroica y tumultuosa, pero en la que vivirán experiencias existenciales formidables. En la modernidad han caído muchas represiones y prejuicios que se mantenían en los siglos XVIII y XIX, e incluso en el siglo XX, y, por lo tanto, la posibilidad de vivir con muchas menos circunstancias adversas exteriores elimina los obstáculos del amor pasional, de forma que el recurso a soluciones extremas como el suicidio es mucho menos factible. En las sociedades en las que impera el divorcio, el suicidio pierde todo su atractivo. Lo importante del modelo romántico de amor es que es una emoción emancipatoria de la realidad cotidiana. Los amantes han de encontrar el valor y la decisión de hacer frente al entorno, y esto les conduce a menudo a una valoración existencial de su vida, a un preguntarse por el sentido de su existencia en soledad si dejan escapar la posibilidad que les ofrece el destino.

El segundo motivo de crítica es interior. Intrínseco a la relación de polaridad entre hombre y mujer. A mi juicio, con su tesis del «ánima» y el «animus», Jung ha dado con la clave de las tensiones y oposiciones que se generan en el postenamoramiento. Tanto el hombre como la mujer proyectan en su amada y amado imágenes y aspiraciones inconscientes que pueden enturbiar la relación erótica, y estas proyecciones pueden conducir el amor pasional hacia el sufrimiento. La psicología moderna aduce aquí el argumento de que estas proyecciones ideales hacia la persona amada, este desencantarse de dicha persona porque no cumple arquetipos inconscientes nuestros, se basan, en última instancia, en el narcisismo y el egocentrismo de los amantes. También este argumento es parcialmente correcto, pero una vez más no es ni mucho menos universal. Como hemos expuesto anteriormente, los amantes se respetan a sí mismos y se reconocen como identidades diferentes a pesar de su tendencia a la unidad. En una relación real romántica es imparcial y casi injusto aducir que el deseo del amante o de la amada hacia la otra persona amada aspirando a nivelar y esperar algún cambio en su personalidad sea ya egocentrismo. Esto nos conduce al modelo de Pigmalión. Es perfectamente asumible que una vez existente ya el Eros pasional entre dos amantes, tras un tiempo se revelen la totalidad de sus caracteres y uno de los amantes adopte más que otro el rol de formación de la pareja persiguiendo ideales. No se trata de que la amada o el amado obligue a un cambio de personalidad para complacer al otro, precisamente gracias a sus personalidades originales en el encuentro, se ha desencadenado el amor; de lo que se trata es que a través del diálogo se puedan nivelar las proyecciones ideales e incluso orientarse hacia determinados cambios.

Como el mismo Jung indica, en este estadio de la relación es el momento de no caer en el egocentrismo y ser capaces de iniciar un viaje de introspección hacia el Sí mismo, reduciendo el carácter ideal del arquetipo para acoplarlo a la realidad.

El tercer motivo de reproche al amor romántico, el de su irracionalidad, en muy compartido en la modernidad por amplias capas de la población que han tenido su educación en los ideales de la Ilustración y el Racionalismo.

Se le reprocha al amor pasional de pareja que constituye un volcán desorganizado de emociones y sensaciones y que todo amor que no incluya grandes dosis de racionalidad para comprender las disfunciones y prejuicios de los amantes está abocado al fracaso o la tragedia. Esta valoración negativa viene dada por la literatura vulgar romántica, como ya indica Fromm, por la influencia de Hollywood y sus guiones cinematográficos, pero desconoce la verdadera posición del Romanticismo en este tema.

Es cierto que tanto en los textos del Prerromanticismo como el Romanticismo del siglo XIX han exagerado y abusado de las emociones y la irracionalidad como motor de dicho modelo de amor, pero entre el Prerromanticismo y el Romanticismo clásico apareció en Europa el denominado Clasicismo,[42] movimiento que aspiraba a unir los valores de la Ilustración y el Romanticismo. Autores como Goethe, Schiller, Hölderlin, Fichte y Schelling, y el mismo Emerson, plantearon la necesidad en el amor de pareja y en otros órdenes de vida de encontrar una síntesis entre racionalidad e irracionalidad. El amor no puede estar solo dominado por sentimientos, aunque tengan predominancia las emociones en su modelo. En todo modelo de amor es necesario que exista una síntesis en-

---

42 Safranski, R. *Romanticismo*. Ed. Tusquets. Barcelona, 2009.

tre racionalidad e irracionalidad, entre razón y sentimientos, entre lo consciente y lo inconsciente, que es el único camino para que el amor pasional tenga futuro. Esta síntesis, como ya indicamos anteriormente, la denominaron los románticos del clasicismo «intuición intelectual». Dicha intuición unifica las informaciones perceptivas, las sensaciones, la racionalidad y el acceso a lo inconsciente, de forma que los amantes no pierdan contacto con el principio de la realidad. La naturaleza de esta intuición, que va más allá de emociones y razón, ya no es un sentimiento y ya no es algo lógico y racional, sino que es algo *espiritual.* El amor pasional de pareja, si consigue evolucionar, se adentrará en esta esfera espiritual que va a proporcionar un futuro duradero a los amantes.

El cuarto motivo de disfunciones del amor pasional es de nuevo intrínsico a su misma naturaleza. Nos referimos a que el amor de pareja es un sentimiento finito, no es necesariamente duradero, y su poder de reconciliación y unificación entre humanos es limitado. No existe ni el amor eterno ni el amor a una sola persona. Puede llegar un día que el hechizo se rompa, y esto sucede normalmente cuando cesa la bidireccionalidad, cuando uno de los amantes sella su emisión etérica del Eros hacia el otro.

La crítica no proviene solamente de la psicología moderna. Ya el mismo Romanticismo había alertado sobre ello, como vimos en las exposiciones de Schiller y Hölderlin. Esto nos lleva a comparar al estilo de Fromm el amor pasional con el resto del Eros. El amor pasional de pareja ciertamente puede superar las contradicciones que tenemos con el Otro, pero no es capaz de reconciliarnos con la sociedad ni con el misterio de la Naturaleza. Para reconciliarnos con la sociedad, o sea, con los Otros, es indispensable el amor como el «*agápē*» o la compasión por el prójimo, que ya los griegos denominaban «filantropía». El amor como sentimiento etérico que fluye hacia los Otros sin esperar reciprocidad abre la puerta al perdón y la reconciliación moral. Por otro lado, la reconciliación con el mundo o la Naturaleza solo se puede obtener o aproximarse a ello a través del amor a la divinidad misma si nos orientamos hacia el teísmo como San Juan de la Cruz o hacia la misma Naturaleza, como Hölderlin muestra, en el caso de que nuestra orientación sea panteísta. El amor a lo divino en sí mismo es la máxima experiencia mística en el misterio del Eros, el lugar constante que Hölderlin define como el anhelado «Hen kai Pan», la conexión durable del Uno con el Todo. En su novela, el Eros de pareja solo es una etapa insuficiente para alcanzar esta mística unificación.

Pero el hecho de que el Eros pasional solo nos unifique místicamente con el amado y la amada no es un demérito. Los románticos señalaron y descubrieron que es ese primer peldaño en la escalera del amor un adelanto del poder infinito del amor. El amor de pareja, por ser un sentimiento finito, no puede colmar la inmensidad del amor, pero nos muestra un destello del amor a lo divino, a la eterna belleza. Produce un instante de gloria que marcará para siempre nuestras vidas y su recuerdo será imperecedero.

Llegados hasta aquí se plantea una última pregunta. ¿Existe en la modernidad, acechada por la mera sexualidad y por los guiones de Hollywood, algo que podamos definir como Eros neorromántico e integral?

La respuesta es afirmativa y se concreta en lo que la juventud actual denomina popularmente «almas gemelas». ¿Qué significa una relación erótica y sentimental conocida como almas gemelas?

Dicho modelo de relación pasional de pareja se basa en un Eros bidireccional que aparte de integrar la mayoría de las sensaciones y los deseos que hemos descrito en el amor de pareja romántico, tanto en percepciones, emociones y sentimientos, tiene, además, la certeza de que las personalidades de los amantes son un perfecto complemento respectivo. El amante descubre en la amada que aparte de su belleza física e intelectual, resulta que las condiciones y los elementos de atracción de su personalidad encajan como en un diseño que alguien hubiera ideado previamente, con su idiosincrasia, tanto en el ámbito de sus carencias como en el área de sus potencialidades. Descubre que la polaridad femenina que se le ofrece incluso complementa su ideal de feminidad que lleva consigo inconscientemente. Y al mismo tiempo, la amada constata que más allá del deseo para aproximarse la belleza corporal o intelectual del amado, la personalidad del mismo como un todo satisface tanto sus carencias como sus potencialidades. Descubre la amada que el amado responde a su ideal inconsciente masculino.

Cuando ambos, amado y amada, realizan su unificación de oposiciones, constatan que sus proyectos de vida social o laboral coinciden o se complementan, que son de una cercanía tal que se hubiese dicho que pertenecen a la misma matriz o que han sido creados para encontrarse. En última instancia, coinciden o se complementan en sus búsquedas de evolución existencial en las que ambos se hallan inmersos; ambos amantes buscan el autoconocimiento y sendas de evolución personal paralelas.

En este modelo, los amantes se hallan estupefactos por la suerte que han tenido e intuyen en sentido platónico que su Eros no es casual sino que se halla en juego cierta predestinación, que su relación debe tener una explicación en algún sentido trascendente a la realidad cotidiana. A mi juicio, este ideal actual denominado «almas gemelas» constituye el depositario moderno de lo que un día fue el amor pasional romántico.

CAPÍTULO SEXTO

EL MISTERIO DE THANATOS
EN EL AMOR PASIONAL

POEMAS DE EROS Y THANATOS

En la teoría del amor romántico nos encontramos con una constante. A menudo, cuando poetas, escritores y filósofos nos tematizan dicho Eros, Thanatos aparece de alguna forma y en algún motivo. A veces como mera nostalgia, a veces como sorprendente final de una relación y, en muchas otras ocasiones, como proyección *post mortem* del Eros.

Veamos tres ejemplos clásicos de poetas como Novalis, Gustavo Adolfo Bécquer y Edgar Allan Poe.

> Se levantó la losa.
> Resucitó la humanidad.
> Tuyos para siempre somos,
> no sentimos ya lazo.
> Huye la amarga pena
> ante el cáliz de oro,
> vida y tierra cedieron
> en la última cena.

La muerte llama a bodas,
con la luz arden las lámparas.
Las vírgenes ya esperan,
no va a faltar aceite
que a lo lejos se escuche
el cortejo que llega,
que los astros nos hablen
con voz y acento humanos.
[...]

Con tal consuelo avanza
la vida hacia lo eterno,
un fuego interno ensancha
y da luz a nuestra alma;
una lluvia de estrellas
se hace vino de la vida,
beberemos de él
y seremos estrellas

El amor se prodiga:
ya no hay separación.
La vida llena, ondea
como un mar infinito:
una noche de gozo,
un eterno poema.

HIMNOS A LA NOCHE[43]

Novalis fue un poeta romántico y filósofo alemán de finales del siglo XVIII que murió con 29 años de tuberculosis, en

---

43 Novalis. *Himnos a la noche.* Ed. Cátedra. Madrid, 1998.

1801. A pesar de su corta vida no solo publicó poesías, sino cultivó la novela, el relato, el ensayo e incluso una enciclopedia científica, además de fragmentos filosóficos por haber sido alumno del filósofo Fichte. Su meta poética era la enigmática «flor azul» y en cuanto a la filosofía es el creador del llamado «idealismo mágico».

Sus *Himnos a la noche* fueron escritos poco después de la muerte de su joven esposa, Sophie. Son poemas eróticos y sorprendentemente espirituales. La noche, la oscuridad, es el lugar contrapuesto a la luz y el día, donde todavía puede encontrar a su amada, en donde puede continuar su rota relación. El amor de Novalis es el amor pasional que muestra su desconsuelo por la separación de su amada, pero, gracias a la noche, le es concedido continuar con la «noche de bodas fúnebre». La muerte ha sido vencida por Jesús, y así entran los amantes en el reino de Thanatos, la Noche.

> Antes que tú me moriré, escondido
> en las entrañas ya
> el hierro llevo con que abrió tu mano
> la ancha herida mortal.
>
> Antes que tú me moriré, y mi espíritu
> en su empeño tenaz
> se sentará a las puertas de la muerte.
> esperándote allá.
>
> Con las horas los días, con los días
> los años volarán,
> y a aquella puerta llamarás al cabo.
> ¿Quién deja de llamar?
> Entonces, que tu culpa y tus despojos

la tierra guardará,
levándote en las ondas de la muerte,
como en otro Jordán.

allí donde el murmullo de la vida
temblando a morir va,
como la ola que a la playa viene
silenciosa a expirar

allí donde el sepulcro que se cierra
abre una eternidad.
Todo cuanto los dos hemos callado
allí lo hemos de hablar.

GUSTAVO ADOLFO BÉCQUER, *RIMA 37*[44]

Nuestro poeta y escritor Gustavo Adolfo Bécquer es uno de los representantes más famosos del Romanticismo tardío hispánico y que también murió joven, con 34 años, en 1870, como consecuencia de la tuberculosis. Su poesía se diferencia del estilo y la métrica del Romanticismo clásico de Espronceda o Zorrilla por presentar poemas breves con rima vocálica. Según él mismo, «la mejor poesía es aquella que no se escribe». Con esta tesis, Bécquer quería indicar que la poesía debe ser como un arpegio musical que permanece vibrando en la mente del lector al terminar el poema.

La Rima 37 de Bécquer proyecta el sentimiento de una prematura muerte del poeta, pero piensa esperarla silencioso en el mismo sepulcro, con el fin de, una vez libres de las ataduras emocionales, hablar sobre lo que durante la vida no se atrevie-

---

44 Bécquer. G. A. *Rimas y leyendas.* Ed. Austral. Espasa-Calpe. Madrid, 2002.

ron a decir o murmurar. Parece como si Bécquer, en cuanto entra en la fantasía de su poesía, tiene una premonición cierta de lo que va a suceder poco después con su futuro.

¡Profeta –dije–. Ser maligno, profeta en todo caso seas pájaro o diablo
por este cielo que se cierne sobre nosotros, por ese Dios
que los dos adoramos,
di a esta alma abrumada de aflicción si en el remoto edén
abrazará a una doncella santificada a quien los ángeles llama Leonor
abrazará a una rara y brillante doncella a quien los ángeles llaman
Leonor.
Dijo el cuervo : «¡Nunca más!».

¡Sea esta palabra nuestra señal de despedida, pájaro o enemigo!
–grité alzándome de un salto–,
¡vuelve a la tempestad y a la costa putoniana de la noche!
¡No dejes ninguna pluma negra como muestra de la mentira que
tu alma ha dicho!
¡Deja intacta mi soledad! ¡Abandona el busto de Palas sobre mi puerta!
¡Saca tu pico de mi corazón y llévate tu forma de mi puerta!
Dijo el cuervo: «Nunca más».

Y el cuervo, que nunca se marchó, aún está posado, está posado en el pálido busto de Palas, justo encima de la puerta de mi cuarto, y sus ojos se asemejan a los ojos de un demonio que soñara.
Y la luz de la lámpara, que da sobre él, proyecta su sombra en el suelo, y mi alma, de esa sombra que se extiende sobre el suelo,
¡no se alzará nunca más!

EDGAR ALLAN POE, «EL CUERVO»[45]

---

45 Poe, E. A. *Poesía completa*. Traducción de José María Valverde. Ed. Hiperión. Madrid, 2000.

Edgar Allan Poe fue un poeta y escritor estadounidense que inauguró el Romanticismo en Estados Unidos. Su tormentosa vida y su alcoholismo le condujo a la muerte con 40 años, en 1849. Aunque se le conoce prioritariamente por sus relatos de terror, y por sus ensayos esotéricos, posee una maravillosa colección de poemas de rara belleza. También se adentró en la prosa filosófica con su ensayo cosmológico *Eureka*.

El largo poema «The Raven» (El cuervo) es, sin duda, el poema más famoso de toda la literatura estadounidense, del que se dice que fue escrito en una noche. Aquí solo reproducimos sus escenas finales. El poema escenifica la nostalgia y la desesperación de un amante (posiblemente, el mismo Poe, que perdió a su mujer, Virginia, muy joven y enferma, poco después del poema) ante la muerte de su amada, y el fúnebre espectáculo de ir preguntando a un cuervo que ha penetrado en su habitación inquisitoriamente por la posibilidad de volver a verla. La respuesta del cuervo –amaestrado por algún desconocido– es siempre lacónica: «Nunca Más». A cada respuesta negativa del cuervo, el poeta incrementa emocionalmente con nuevas preguntas su aspiración de volver a reencontrarse con Leonor, hasta los versos finales que reproducimos, en los que la negra ave le niega incluso la posibilidad de ver a su amada en una dimensión *post mortem.*

EL MISTERIO DE EROS Y THANATOS

Como ya sugerimos anteriormente, la cultura hindú sostiene que Eros y Thanatos constituyen dos caras de la misma energía esencial humana. El sexo y la muerte se revelan ya en el orgasmo como protagonistas de una bipolaridad en lucha. Miles de espermatozoos morirán disputando una lejana posibilidad estadística de que alguno de ellos fecunde y resurja. Fecunda o muere es la divisa. La cultura oriental contempla Eros y Thanatos, pues, como polos de una misma energía que, aunque jamás se fusionarán en una síntesis equilibrada, ayudan con su polaridad a que el ser humano consciente se armonice y entienda su naturaleza.

Desde la óptica occidental, esta tesis nos resuena a Freud. En su ensayo «El malestar de la cultura», expone una tesis muy interesante. Aparte de los instintos clásicos humanos como el de alimentación, el de supervivencia, el lúdico y el de reproducción, o sea, el sexual, Freud barruntó que quizás existiese también el instinto de la muerte. En un principio se negó a aceptar que junto al instinto del Eros hubiese un quinto instinto universal: el de Thanatos.

Pero el discurrir de su vida como psiquiatra y los acontecimientos sociales en Europa le habían convencido de la existencia de este instinto de la muerte —al menos en la cultura— entendido este concepto como autodestrucción. Freud, más tarde, después de aceptar a Thanatos como instinto, pasa a indicar que, en numerosas ocasiones, Thanatos se amalgama con Eros. Para exponer esta relación entre Eros y Thanatos, Freud hace mención a dos conductas sexuales normalmente aceptadas como desviaciones patológicas: el sadismo y el masoquismo. O dicho de otra forma: el instinto de Thanatos no solo se dirige como agresión hacia el exterior, como destructor de la vida, sino que, en parte, se orienta hacia el interior del psiquismo y así, a veces, se amalgama con Eros. El instinto de Thanatos actuaría hacia el exterior como impulso humano destructor de la vida y de su entorno e incluso tendería a finiquitar su misma vida individual. Hacia el interior, por primera vez, se uniría con Eros, con el fin de, a través del erotismo, aproximarse hasta la misma frontera del dolor, la sangre y la muerte de los amantes.

Creemos que la intuición de Freud es correcta si la limitamos a las fuerzas cosmológicas de la Naturaleza, con la salvedad de que la conexión nunca implica una síntesis entre ambos, sino solo una aproximación.

Ya hemos señalado que, para las culturas antiguas, Eros como generador de la vida en sentido cósmico y Thanatos como destructor de esta vida eran no solo elementos opuestos, sino contrarios. Esto significa que cuando uno aparece, el otro se retira; nunca son complementarios como los opuestos masculino y femenino o par e impar. Ciertamente, lo contrario no excluye aproximación entre uno y otro impulso, pero lo decisivo es que no se funden, no se complementan en una unidad. Sin duda el cosmos vive de esta dualidad como ya indicó Empédocles, pero esto no significa que se unan ni se trasvasen.

En cambio, si dejamos ahora el Eros como función cósmica y lo restringimos al Eros de pareja que es nuestra óptica central, no podemos aceptar la tesis de Freud sobre el postulado que el Eros sea solo sexualidad instintiva y que Thanatos sea un instinto base del ser humano que a veces se amalgama con Eros. Si fuera Thanatos un instinto base y no un mero impulso ocasional como lo es la violencia, el mundo y la cultura serían un lugar inhabitable, todos viviríamos constantemente en el reino de Sauron y sus Orcos ideado por la fantasía de Tolkien. Thanatos en el escenario de la pareja no es pues un instinto, solo un mero impulso fomentado por otras conductas instintivas como el poder o la supervivencia. Creemos que la razón de esta taxativa tesis de Freud procede de la concepción reduccionista que Freud tiene del amor pasional que lo convierte totalmente en sexualidad instintiva.

Leyendo los textos y las poesías románticas, y las teorías filosóficas sobre el amor de pareja,- malgré el Marqués de Sade-, no podemos aceptar que Sadismo y Masoquismo unan en síntesis a Eros y Thanatos, a lo sumo son desviaciones patológicas ocasionales, pero no constituyen un argumento para aceptar a Thanatos como impulso instintivo universal en el amor de pareja.

Podemos aceptar que la agresividad derivada del instinto de supervivencia pueda conducir al homicidio o incluso al asesinato, si está la venganza o el poder en juego, pero Thanatos aquí y en otros ejemplos es una acción inducida por otro móvil piscológico, no un instinto base en sí mismo.

Sin embargo sí que debemos aceptar que si reducimos al Eros a la mera sexualidad como indica Freud y el Hinduismo, esta posee elementos que la unen a Thanatos.

Sabemos por la etología animal que en muchas especies de insectos, tras el acto sexual, el pretendiente es perseguido y liquidado. Aquí está en juego el instinto alimenticio. Sabemos también que la misma cópula erótica, en muchas especies de animales, no se halla exenta de violencia e incluso de graves heridas. El sexo en los animales superiores requiere un esfuerzo energético y físico, que a menudo los deja exhaustos.

En la especie humana, el sexo, la cópula y el orgasmo someten a presión el sistema cardiovascular y nervioso y tienden a anular la capacidad volitiva y pensante de los individuos inmersos en este acto. Diríase que Eros, entendido como sexualidad pura, aproxima al individuo al desgaste fisiológico y energético, signos que pueden intuirse como de proximidad en el camino hacia Thanatos. Tanto el masoquismo como el sadismo, se mueven en esta esfera de peligro hacia la vida del individuo.

Empero, en el ámbito estricto del amor pasional hemos visto que el amor de pareja tiene la sexualidad como componente base, pero solo presta su corriente de libido a una gran complejidad de sensaciones y pensamientos. El sentimiento del amor pasional, al unir corporalidad e intelectualidad, es un sentimiento allende a ambos, algo que integra las cualidades de la conciencia y el inconsciente. Además, el Eros sentimental y noble no es un combate, sino que se halla bajo el signo de la ternura y el reconocimiento de la salud del otro.

No obstante, con esta argumentación que indica que el amor de pareja integral no es algo meramente sexual sino también espiritual y, por lo tanto, mucho más emancipado del impulso de la muerte, todavía no hemos superado el misterio del por qué en el amor pasional, como vemos en textos y poesías, se alude a veces a la muerte

El modelo específico del amor romántico escenifica una aproximación y a veces hasta consumación de la muerte de uno o ambos amantes. La pregunta que nos hacemos aquí es: ¿Cuáles son los motivos y las razones de esta proximidad con la muerte? Esto lo podemos comprobar leyendo las anteriores poesías y las obras de Shakespeare, Goethe, Hölderlin, Von Kleist y Schiller.

Si observamos atentamente la fenomenología de la relación entre Eros y Thanatos en el amor romántico, podemos distinguir entre tres modelos.

El primer modelo es el del suicidio del amante o de ambos. El *Werther* es un ejemplo clásico. Fuera del amor romántico, el suicidio constituye una decisión que toma la persona porque, psicológica o físicamente, la vida le parece insoportable y angustiosa. La persona considera que es mejor fenecer que continuar con un inusitado sufrimiento. Los motivos del suicidio son plurales. En el mundo moderno, la primera causa de suicidios se basa en crueles enfermedades incurables que limitan hasta el paroxismo al individuo enfermo. El ser humano que padece enfermedades con dolor advierte que la vida no tiene sentido y decide entrar en el dominio de Thanatos.

Luego encontramos el suicidio en personas físicamente sanas, suicidio por motivos psicológicos, sociales y políticos. En el mundo moderno, cuando una persona de alto rango se ve implicada en asuntos que destruyen toda su carrera, la decisión del suicidio es frecuente. Se trata del suicidio social dimisionario. El suicida no puede imaginar o visualizar su vida a corto plazo debido al sentimiento de fracaso y culpa. Aquí se incluyen las inmolaciones de los terroristas en función de la política.

Otro motivo frecuente de suicidio es el de algunos asesinos u homicidas tras matar a sus víctimas, o al menos creer que lo han realizado. Desesperados por lo horrible de su acción se ajustician con un arma o mediante accidente inducido. Este modelo suele acontecer referido a asesinos de familia. En este capítulo son frecuentes los asesinos de cónyuges matrimoniales, acciones violentas que tienen lugar generalmente cuando toda relación erótica ha desaparecido y que no pueden entrar en el apartado de suicidios por amor romántico. Incluso en el caso de que haya pasión erótica sexual en juego, estos casos que terminan con el suicidio de la persona autora del asesinato se hallan en los antípodas de la idiosincrasia del suicidio romántico. En todos estos casos de asesinato u homicidio, el autor decide suicidarse al ser consciente de ejecutar su acto, de la vileza del mismo y del castigo social que le espera. Y en todos estos se odia la vida bajo tales circunstancias.

Muy diferente es el suicidio por amor romántico. El suicida romántico comparte la fenomenología general del suicida o el inmolador común de sentirse agobiado y angustiado por el entorno social y familiar que le rodea, y que hace insoportable la vida, pero aquí terminan las coincidencias. El suicida romántico percibe y siente que el escenario en el que él vive con su amada o amado no le va a permitir desplegar no tan solo su relación sino la de ambos, la del Eros pasional. Y para el Eros pasional, vivir junto a su amada es el máximo ideal de su vida. En última instancia, el suicidio se lleva a cabo para salvar a su amada. Se trata de terminar con el constante sufrimiento que viven los dos debido a su amor imposible. De esta forma, con el último acto salva a la amada de su sufrimiento.

Sin embargo, el suicida romántico posee en su acto una segunda significación. El suicidio no se lleva a cabo porque odie la vida en sí misma. Al contrario, el suicidio acontece por amor a la misma vida y al Eros, por la sencilla razón que pretende, consciente o inconscientemente, llamar la atención de las fuerzas sociales o familiares que impiden el desarrollo del Eros. El suicidio romántico constituye pues un *«beau geste»,* una llamada de atención a la sociedad represora.

El segundo modelo de relación entre Eros y Thanatos se refiere a la nostalgia de una vida feliz que expresan los amantes, o meramente resultado de la tristeza y el sufrimiento personal de ambos ante la dificultad de establecer el amor pasional. Es el caso de las poesías de Bécquer. Entonces, como proyección a su situación límite, tematizan el fin de la vida con la premonición de Thanatos.

En algunos textos, el poeta o escritor, para mitigar o incluso exacerbar su pena y sufrimiento, suele contraponer su vida de Eros pasional y emocionante al cesamiento súbito de esta emoción, o sea, su muerte. Esta actuación constituye un recurso psicológico inconsciente del poeta con el fin de expresar la inmensidad y lo sublime de su amor. Partiendo de la base de que lo más contrario y alejado de la felicidad del Eros compartido es la destrucción de este amor, por contraposición desencadena en la mente del lector un efecto colosal y sublime, precisamente a favor del Eros.

La nostalgia y contraposición de la muerte en el escenario del Eros romántico, con sus elementos lúgubres, sus flores marchitas, sus tumbas con oxidadas cruces y capillas en ruinas, despiertan en el lector la impresión de que el amor del amante hacia la amada o viceversa posee una alta cualidad espiritual, cuya intensidad se puede medir a través de la oposición sentimental entre dos contrarios que se excluyen mutuamente, como son el Eros de la vida feliz y la tenebrosa Thanatos de la tristeza.

El tercer modelo entre Eros y Thanatos tiene lugar cuando el amado debe hacer frente a la pérdida de la amada o viceversa, o al menos a la certidumbre de una próxima muerte de alguno de los amantes. Es la poesía de Novalis o la prosa de Hölderlin la que mejor describe este fenómeno. En este escenario tienen lugar dos motivos de inspiración. El primero es el recuerdo o el sueño sagrado. La ansia por recordar el espacio y tiempo de la amada, por reconstruir su idilio y su entrega, por las insuperables y místicas vivencias del Eros pasional. En el recuerdo o en el fenómeno onírico se encuentra una cierta redención a la tragedia del amante.

Este modelo también conduce al amado hacia el nuevo reino de la amada, con la seguridad (nunca la mera esperanza) de restablecer así la unificación de los amantes. Se persigue superar la nueva y cruel separación de ambos, y para ello el Eros deviene ya pura religión. Para que el amante o la amada penetren en esta dimensión estrictamente espiritual, el erotismo místico se hace necesario la supervivencia del alma o espíritu de la amada en una oculta dimensión religiosa, más allá del tiempo y del espacio y de la corporalidad. En esta escena de una supervivencia de la amada *post mortem,* se hace posible la continuidad del Eros pasional de los amantes, ya libres de cualquier conflicto mundano. Este último motivo nos transmite no solo la posibilidad de la continuidad del Eros en la misma muerte, sino el triunfo de Eros sobre Thanatos. Describe el mensaje de que el amor romántico pasional de pareja, el amor del Uno con el Todo, es capaz de atravesar el terrible límite de Thanatos, frontera que ningún otro sentimiento humano puede hollar; solo el Eros, que según Orfeo también puede viajar hacia el Hades, es capaz de realizar tal hazaña.

CONCLUSIONES

No es tarea de este ensayo profundizar en el tema de Thanatos, de cómo Occidente entiende la muerte, aunque llegados a este punto y por la relevancia que posee la muerte para el ser humano quizás valga la pena adentrarnos brevemente en esta senda con la mirada puesta en el amor pasional.

Occidente, a lomos de su ciencia y su técnica, constituye una cultura que ha expulsado la muerte de la cotidianidad. Puede ser que los románticos hayan exagerado mentando la muerte, pero resulta que nuestra cultura se sitúa en los antípodas de esta actitud, la niega constantemente. Al negarla y relegarla a lo meramente funerario y circunstancial, no ha desarrollado una Tanatología para conocerla y explorar sus posibilidades como hizo la cultura egipcia o la tibetana. En Occidente, ya no se muere en el hogar, sino en los grandes centros hospitalarios, sin duelo ni mensajes póstumos, mientras los familiares contemplan asustados el óbito entre artefactos electrónicos, a menudo aliviados por no tener que enfrentarse a algo que desconocen, mientras que el personal sanitario está más pendiente de sus horarios y turnos que del trágico suceso. A continuación, en los funerales, los rituales cristianos no son ya ni siquiera entendidos por los asistentes, por no mencionar las homilías de los eclesiásticos que normalmente deben preguntar a toda prisa sobre la biografía del finado. La gente joven solo puede ver el tránsito de la vida a la muerte gracias a Hollywood, que con sus guiones absurdos recrean las frases trascendentes de los supuestos moribundos.

Algunos pensadores[46] sostienen que esta negación de lo trascendente ha provocado una desvalorización de los valores nobles del amor pasional. Si solo existe la vida terrenal y corporal, entonces el amor se vulgariza y solo quedan la sexualidad y los afectos. Disfrutemos al máximo, pues, que mañana moriremos. Y es entonces cuando se facilitan las adicciones eróticas y el amor pasional que hemos tratado de definir como integral y espiritual pierde la batalla.

Tras describir la relación entre Eros y Thanatos, debemos afirmar que cuando el Eros se relaciona de alguna forma con su contrario, Thanatos, el amor romántico ha entrado en una dimensión no solo de tragedia sino de impotencia y, a veces, de fracaso. En el amor de pareja terrenal, cuando Thanatos aparece, el Eros pasional se torna imposible y se desvanece.

Como hemos mencionado, en la modernidad ya no rigen muchas de las estructuras que antaño hacían imposible el desarrollo de un amor pasional de pareja y, por lo tanto, las decisiones heroicas de aproximar Eros a Thanatos son cada vez menos

46 Membrive, José. *El homo transcendente*. Ediciones Carena. Barcelona, 2013.

convenientes. En el mundo moderno, con la evolución de las leyes matrimoniales y los derechos humanos de las personas, se hace cada vez más posible salvar una relación amorosa verdadera sin tener que recurrir a la tragedia. En la modernidad, los caminos para mantener una relación erótica verdadera son mucho más transitables a pesar de que la humanidad siendo la misma.

Y sin embargo, la alusión a Thanatos desde Eros como motivo de triunfo de la vida no terrenal sino espiritual sobre la muerte continúa fascinándonos. El hecho de que el ser humano pueda imaginar e incluso vivenciar, a través de la poesía y el sueño, una dimensión donde el sentimiento del Eros, ahora en total versión espiritual, haga posible la reunificación de los amantes más allá de toda convención, incluso de la muerte, nos llena siempre de incredulidad. Es el sublime fracaso de Orfeo, que atravesó el Aqueronte y penetró en el Hades para salvar inútilmente a la bella Eurídice.

El misterio de la extraña relación entre Eros y Thanatos en el amor romántico creemos que ha sido por fin desvelado. La proximidad entre ambos, se desencadena cuando el amor pasional y noble se torna imposible, es entonces cuando el Eros cae en el abismo de Thanatos, o sorprendentemente supera a la muerte en el plano de la fantasía espiritual.

EPÍLOGO

La época del Romanticismo ha pasado. Cada época histórica responde a un entramado de circunstancias económicas, científicas, existenciales y espirituales, y sus productos solo tienen validez específica para la época en la que fueron concebidos. Además, cada época, contemplada desde otro tiempo, posee sus miserias y sus esplendores. La comparación entre épocas históricas solo puede servir a lo sumo como orientación, como inspiración, pero solo en algunos de sus elementos.

Antes habíamos señalado que el adjetivo romántico en sentido peyorativo es utilizado en la modernidad para desacreditar una idea o un proyecto, por irracional e irrealizable. Pero hay que matizar que también este adjetivo se emplea para definir un sentimiento que nos conmueve. Llamamos *romántico* en sentido positivo a una situación o una acción que expresa nobles y elevados sentimientos, y que casi siempre identificamos como una acción bella. Una acción elevada y espiritual que porfía en sus objetivos a pesar de las circunstancias adversas frente al principio de realidad.

Ese significado positivo del término romántico es el que nos transmite la relevancia del modelo del amor romántico hoy en día. Lo valioso del modelo del Eros romántico, más allá de sus miserias y exageraciones o cursilerías, es que presenta un paradigma de amor de Eros integral. Un paradigma donde se expone por primera y quizás única vez todos los fenómenos y emociones que rodean el amor de pareja. En donde se le asigna tanto a la sexualidad como a la intelectualidad su justo lugar, revelando finalmente que el modelo de amor de pareja integral puede llegar a ser, si es cultivado, un lugar donde el ser humano ascienda a la espiritualidad.

Es cierto que el Eros romántico, en muchas ocasiones, posee miserias y negatividad, y que conlleva a veces pesares y exageraciones alejadas de la realidad, y hasta la tentación de Thanatos, si el mundo externo es irrespirable. Y es cierto también que el amor a la humanidad y al prójimo y hasta a la divinidad parece tener una mayor cualidad en la escala del Eros como principio unificador de las contradicciones y oposiciones humanas y existenciales. Pero no es menos cierto que el Eros pasional de pareja entrega a los humanos el primer paso, la primera puerta para la evolución espiritual. La primera visión de lo divino como sugerían los poetas románticos.

Así pues, no es ocioso exponer con detalle lo que fue el modelo del Eros romántico, y no lo es porque vivimos en la era en la que el Eros pasional ha sido banalizado y tachado de emoción superficial. Una época en la que como heredera del racionalismo y el positivismo científico, los sentimientos y las emociones eróticas son considerados cuanto menos problemáticas y se les confunde con la mera sexualidad. Una época en la que se ocultan los sentimientos nobles, por evitar el ridículo, frente a la superficialidad. Y una época, en fin, en la que se renuncia fácilmente a encontrar la pareja ideal.

La belleza del Eros romántico consiste en que nos muestra que, contra la economía, la crítica familiar, las hipotecas financieras y las meras aventuras, los amantes no renuncian a sus ideales y a su proyecto erótico.

Y finalmente, a través de los siglos, el modelo del amor de pareja romántico, con sus luces y sombras, ofrece a todo lector interesado la más bella descripción de por qué vale la pena amar. Certificando que aquellos románticos han transmitido a la cultura mundial la más completa explicación de qué sucede realmente cuando nos enamoramos.

BIBLIOGRAFÍA SUCINTA

Byron, L. *Poemas escogidos.* Ed. Visor. Madrid, 2015.

Bécquer, G. A. Rimas y leyendas. Ed. Austral-Espasa Calpe. Barcelona, 1997.

Campoamor, R. *Poesías.* Alianza Editorial. Madrid, 1983.

Freud, S. *El malestar de la cultura.* Alianza Editorial. Madrid, 1970.

Fromm, E. *El arte de amar.* Ed. Ariel. Barcelona, 1970.

Goethe, J. W. *Las desventuras del joven Werther.* Ed. Cátedra. Madrid, 1998.

Hölderlin, F. *Hiperión.* Ed. Hiperión. Madrid, 1990.

Hölderlin, F. *Hiperión. Versiones previas.* Ed. Hiperión. Madrid, 1972.

Neruda, P. *Diez poemas de amor y una canción desesperada.* Ed. Losada. Buenos Aires, 1968.

Novalis. *Himnos a la noche.* Ed. Cátedra. Madrid, 1998.

Johnson, R. A. *Comprender la psicología del amor romántico.* Ed. Era Naciente. Buenos Aires, 1970.

Johnson, R. A. *She. Para comprender la psicología femenina.* Ed. Era Naciente. Buenos Aires, 1966.

Jung, C. G. *Freud y el psicoanálisis.* Volumen 4. Ed. Trotta. Madrid 2000.

Platón. *Fedro.* Instituto de Estudios Políticos. Madrid, 1966.

Poe, E. A. *Poesías completas.* Ed. Hiperión. Madrid, 1990.

Schiller, F. *Poesía filosófica.* Ed. Hiperión. Madrid, 1994.

Shelley, P. B. *Adonais.* Ed. Visor. Madrid, 2016.